CULTURAL TURN

D1155589

REIHE
KULTUR.WISSENSCHAFT

Herausgegeben vom Bundesministerium für
Bildung, Wissenschaft und Kultur

BAND 3

Cultural Turn.
Zur Geschichte der Kulturwissenschaften

HERAUSGEGEBEN VON LUTZ MUSNER,
GOTTHART WUNBERG UND CHRISTINA LUTTER

TURIA + KANT
Wien

Die Deutsche Bibliothek – CIP-Einheitsaufnahme

Cultural Turn : zur Geschichte der Kulturwissenschaften /
hrsg. von Lutz Musner, Gotthart Wunberg und Christina Lutter
- Wien : Turia und Kant, 2001
ISBN 3-85132-277-0

Übersetzungen aus dem Englischen: Georgia Illetschko
Lektorat und Redaktion: Christian Gerbel

© bei den AutorInnen
© für diese Ausgabe: Verlag Turia + Kant, 2001
ISBN 3-85132-277-0

Inhalt

Zum Geleit

Die Kulturwissenschaften sind ein Zwittergeschöpf: Zum einen werden sie im aktuellen Kontext als ein Nachfolge- bzw. Reformprojekt der Geisteswissenschaften und damit als ein inter- bzw. transdisziplinäres Forschungsfeld begriffen. Der Schwerpunkt liegt dabei nicht mehr auf dem Studium der Objektivierungen des menschlichen »Geistes« in Geschichte, Literatur und in den Künsten, sondern auf fachübergreifenden Analysen der pluralen Ausdrucksformen von a priori gleichberechtigten »Kulturen« des Fremden und Eigenen. Zum anderen sind sie zugleich ein durchaus bekannter Traditionsbestand, denn die »Kulturwissenschaften« sind keine genuinen Neuschöpfungen der 1980er und 1990er Jahre, sondern vielmehr seit mehr als 100 Jahren im deutschen Sprachraum präsent, wenngleich oft als sozial periphere, epistemisch verdeckte oder gar politisch verfolgte Strömungen des intellektuellen Lebens. Die Wirkungsgeschichte höchst innovativer »Außenseiter« wie Georg Simmel und Sigmund Freud sowie die Emigrationsgeschichte einflußreicher Denker wie Robert Musil und Walter Benjamin geben ein beredetes Zeugnis davon.

Hartmut Böhme spricht deshalb zurecht davon, daß die Archäologie ihrer eigenen Herkunftsgeschichte ein zentrales Moment der Praxis von Kulturwissenschaften ausmacht und es für ihre Legitimationsbestrebungen charakteristisch ist, daß sie genealogisch auf die von ihr geprägten Aufmerksamkeiten und Verfahren zurückgreifen.[1] Genau in diesem Sinne versucht der vorliegende Band einen historischen Beitrag zum aktuellen Selbstverständnis der Kulturwissenschaften zu leisten. Freilich ist dieser Beitrag nicht nur durch die getroffene Auswahl von Themen und AutorInnen begrenzt, sondern auch durch den Umstand, daß eine konzise und repräsentative Geschichte der Kulturwissenschaften erst noch geschrieben werden muß. Was den Band trotz disparat gehaltener Einzelstudien eint, ist sein Bestreben, einzelne wichtige Aspekte der kulturalen Wende (cultural turn) in den Humanwissenschaften während des 20. Jahrhunderts sichtbar zu machen. Obwohl der deutschsprachige Raum dabei im Vordergrund steht und ihm zur Differenzbildung die unterschiedlichen Positionen und Verfahren deutscher und österreichischer AutorInnen (z. B. von Georg Simmel, Robert Musil und Marie Herzfeld) eingeschrieben werden, wird er zum Vergleich auch auf anglo-amerikanische und russische Strömungen (die britischen Cultural Studies, die amerikanische Sozialanthropologie, die Kulturtheorie Sergej Eisensteins) bezogen, um so das Bild abzurunden. Was sind nun wesentliche Aspekte der kulturalen Wende (cultural turn), die für den Gegenstandsbereich und die Verfahren der Kulturwissenschaften konstitutiv sind?

Der erste wesentliche Aspekt scheint uns in der Verbindung von Gesellschafts- und Kulturanalyse zu liegen. Die Hinwendung zu symbolischen Formen und kulturellen Praktiken als Leitmotive für die Sozialforschung eröffnet nicht nur neue Erkenntnisse für die Soziologie und Theorie urbaner Gesellschaften im Prozeß der Modernisierung (Georg Simmel, Camillo Sitte), sondern beeinflußt auch die Entwicklung politischer Theorien, die die Kultur als Feld sozialer Konflikte thematisieren (Austromarxismus) und jene Formen von Literatur- und Sozialwissenschaften, die das überkommene Verhältnis von Eliten- und Massenkultur problematisieren (Cultural Studies). Die Verbindung von Kultur- und Gesellschaftsanalyse ist insofern von hoher Aktualität für die Kulturwissenschaften, als ein vom Sozialen abgekoppelter »Kulturalismus« leicht Gefahr laufen kann, »die Rede über Geschichte, Gesellschaft und Politik nur mehr in terms of culture stattfinden« zu lassen und so zu einem Diskurs führt, der »Kultur« abseits oder gar gegen »Gesellschaft« verhandelt.[2]

Der zweite wesentliche Aspekt am *cultural turn* scheint uns in seiner selbstreflexiven Dimension zu liegen. Die Brechung und Neubestimmung des Verhältnisses von Subjekt und Objekt von Erkenntnis kommt in mehreren Beiträgen zur Sprache: zum einen als unmittelbare Einbeziehung von Intellektuellen und Forschenden in den Prozeß ihrer Gegenstandsbestimmung (Soziologie kulturellen Wissens bzw. Sozialanthropologie) und in den Textverfahren der klassischen literarischen Moderne (Musils Essayismus als Kulturtheorie). Dieses Traditionsmoment der kritischen Selbstreflexion ist nicht nur für das Verständnis von Repräsentation und Textverfahren bedeutsam, sondern hat den Kulturwissenschaften auch produktive Verschaltungen mit dem

Poststrukturalismus, den Gender Studies oder dem New Historicism ermöglicht.

Der dritte Aspekt der kulturalen Wende ist schließlich in veränderten Strategien der sozialen Aufmerkamkeit begründet, d. h. im umverteilenden und relationalen Blick auf die Wechselwirkungen zwischen auf den ersten Blick hin scheinbar unzusammenhängenden Medien, Diskursen, Verfahren und Texten. Die Fokussierung auf die Dinge dazwischen, die Zwischen-Räume und Zwischen-Verhältnisse eröffnet nicht nur neue Lesearten von Texten und Kommentaren sowie von Bildern und Interpretationen. Die ihnen zugewandte Energie der Auf- und Erschließung erlaubt auch eine radikale Hinterfragung kultureller Hierarchien (vgl. Marie Herzfelds Strategie des Kommentars und Sergej Eisensteins Projekt einer interdisziplinären Filmästhetik).

Der vorliegenden Band ist das Ergebnis einer Tagung des Internationalen Forschungszentrum Kulturwissenschaften (IFK), die im Herbst 1999 in Wien stattfand. Zugleich versteht er sich als Fortführung des vom IFK und dem österreichischen Bundesministerium für Bildung, Wissenschaft und Kultur initiierten Vorhabens einer Standortbestimmung aktueller Positionen in den Kulturwissenschaften und Cultural Studies, welches im Jahr 1999 mit der Herausgabe des Bandes *The Contemporary Study of Culture* begonnen wurde. Wie bereits der Titel andeutet, lag der Schwerpunkt dieses Bandes in einer vergleichenden Gegenüberstellung unterschiedlicher, thematisch vorwiegend gegenwartsbezogener Ansätze aus dem anglo-amerikanischen und dem deutschsprachigen Raum. Mit der Notwendigkeit, eine gemeinsame Sprache – das Englische – zu finden, wurden allerdings gleichzeitig Fragen nach möglichen Übersetzungen im wörtlichen wie im übertragenen Sinn und die theoretischen wie methodischen Schwierigkeiten damit virulent. Dabei geht es nicht zuletzt um die Gefahr von Theorieimporten, welche die kontextspezifischen Bedingungen kulturwissenschaftlicher Forschung in den Hintergrund geraten lassen.

Um dieser Problematik zu begegnen und damit gleichzeitig einen Versuch zu unternehmen, die gerade im deutschsprachigen Raum übliche binäre Gegenüberstellung Cultural Studies vs. Kulturwissenschaften einer kritischen Revision zu unterziehen, soll die Standortbestimmung kulturwissenschaftlicher Positionen in diesem Band um historische Dimensionen erweitert und vertieft werden. Dies bedeutet zum einen ein Ernstnehmen von räumlichen und zeitlichen Kontexten kulturwissenschaftlicher Arbeit und der damit verbundenen politischen und theoretischen Prämissen und Zugänge der jeweiligen intellektuellen Praxis. Zum anderen läßt sich damit ein allzu einfacher Innovationsbegriff differenzieren, wie er für den gegenwärtigen Erneuerungsdiskurs typisch ist: Vieles ist bekanntlich nicht so neu, wie es die aktuelle Rezeption der Cultural Studies oder die »neuen Kulturwissenschaften« suggerieren. Spannend sind vielmehr synchrone und diachrone Überschneidungen, Gleichzeitigkeiten und Wechselbezüglichkeiten, welche historische Perspektiven sichtbar machen.

Die Texte in diesem Band und ihre Gegenstände sind damit Knotenpunkte in einem kulturwissenschaftlichen Netzwerk, das sich bei näherer Betrachtung zunehmend verdichtet. Sie verdeutlichen einerseits die Notwendigkeit einer »radikalen Kontextualisierung«, die ohne eine ebensolche Historisierung wohl nicht zu haben ist, und andererseits den Stellenwert einer vorsichtigen archäologischen Vorgangsweise, die das methodisch tragfähige Fundament für wissenschaftlich *und* gesellschaftlich relevante Kulturstudien bieten kann.

Wien, im Spätherbst 2000
Lutz Musner, Gotthart Wunberg, Christina Lutter

ANMERKUNGEN

[1] Hartmut Böhme, Peter Matussek, Lothar Müller, Orientierung Kulturwissenschaft. Was sie kann, was sie will, Reinbeck bei Hamburg 2000, 108.
[2] Vgl. Wolfgang Kaschuba, Kulturalismus oder Gesellschaft als ästhetische Veranstaltung?, in: Ästhetik & Kommunikation, Heft 100, April 1998, 94.

»Lived Experience«.

Über die kulturale Wende in den« Kulturwissenschaften

ROLF LINDNER

»De nobis ipsis silemus«\ von uns selber schweigen wir, heißt es im Vorwort zur Instauratio magna von Francis Bacon. Dieses Schweigen bildet das Fundament der modernen Wissenschaften, die geistige Grundlage, mittels derer scharf zwischen »Sache« und »Person«, zwischen »Werk« und »Autor« getrennt wurde. »Von uns selber schweigen wir«, das bedeutet, wie Martin Kohli hervorgehoben hat, daß die getroffenen Aussagen als Ergebnisse des Waltens einer überpersönlichen Instanz – der wissenschaftlichen Methode – erscheint, eine Instanz, die Objektivität verbürgen soll. Damit ist, wie Helga Nowotny aufgezeigt hat, ein Wissen verbürgt, das unabhängig von dem gilt, der spricht. Abgelöst von diesem Entstehungskontext aber können wir in diesem beredten Schweigen über die Genese freilich auch eine Rhetorik der Selbstlegitimierung am Werk sehen. Unabhängig gedacht von der mit der Wissenschaft befaßten Person, gewinnen nicht nur deren Aussagen, sondern auch deren Prozeduren dadurch eine Hermetik, die die Vorstellung von einer Parthenogenese nahelegt: Texte verweisen auf Texte, Texte bringen Texte hervor. Eine solche Rhetorik der Selbstlegitimierung dient nicht zuletzt dem Einhalten eines stillschweigenden Kulturabkommens, das darauf hinausläuft, die Erfahrungswelt des Wissenschaftlers, und damit die Vorannahmen, die in seine Konzepte und Problemstellungen eingehen, nicht zu thematisieren. Das sich in dieser überpersönlichen Konstruktion, d. h. in dem Versuch, durch Objektivierung des Feldes sich selber zu objektivieren, das Allerpersönlichste durchsetzt, weil hier das Besondere (das »Ich«) zum Allgemeinen (das »Wir« des akademischen pluralis majestatis) wird, zeigt sich nicht zuletzt im Bereich der Kulturwissenschaft, wo das Verzeichnis kanonischer Werke ein glückli-

ches Bündnis mit dem kulturellen Kapital als Familienvermächtnis eingeht, Gerade die Welt der »idealen Kultur« vermittelt eine trügerische Sicherheit, die es nahezu unmöglich macht,
diese selbst zu thematisieren, d. h. »auf die eigene Welt den ab-
gehobenen, distanzierten Blick des Fremden zu werfen« (Bourdieu). Diese Sicherheit scheint nicht zuletzt der Selbstverständlichkeit geschuldet, die mit Kultur als Familienvermächtnis verbunden ist. Kein Wunder also, daß die Wende, die von den Protagonisten als kulturelle Erneuerung verstanden wurde, von
außen kommen mußte. Es scheint geradezu zwangsläufig, daß
die kulturale Wende in den Kulturwissenschaften von jenen eingeleitet wurde, vielmehr: werden mußte, die nicht über die Sicherheit der »alten Familien«, der Etablierten im Sinne von Norbert Elias verfügten, sondern Außenseiter waren, Neuankömm-
linge nämlich. Auch sie verfügten über kulturelles Kapital, freilich nicht in Textform, sondern von ganz anderer Beschaffen-
heit: sie verfügten über »lived experience«, über Erfahrungswissen. Erfahrung wird zum Schlüsselkonzept des neuen kulturalen
Ansatzes. Das zeigt auch der Index der Einführung in die Cultural Studies von Christina Lutter und Markus Reisenleitner, wo
»Erfahrung« der Begriff ist, der am häufigsten aufgeführt wird.
Im wissenschaftlichen Diskurs zielt diese Kategorie nicht nur
auf eine vernachlässigte analytische Dimension, nämlich »hu-
man agency«, wodurch Struktur in Prozeß verwandelt wird, wie
E. P. Thompson ausgeführt hat, sondern schließt auch die Kritik
am akademischen Diskurs mit ein, der Lebenserfahrung als Wis-
sensform systematisch ausklammert. Daß eine solche kulturale
Wende in den Kulturwissenschaften eine Revision des Kulturbegriffs voraussetzt, die es überhaupt erst gestattet, Erfahrung als
Element von Kultur zu thematisieren, liegt auf der Hand. Gerade darin liegt der paradigmatische Wert eines Verständnisses
von Kultur im anthropologischen Sinne für den neuen kulturwissenschaftlichen Ansatz.

1

Es ist seit Colin Sparks grundlegendem Artikel »The Evolution
of Cultural Studies« aus dem Jahre 1977 zur Konvention geworden, auf Richard Hoggarts »The Uses of Literacy« und Raymond
Williams »Culture and Society« als Gründungstexte der Cultural
Studies zu verweisen. 1957 respektive 1958 erschienen, haben

beide Texte, bei aller Unterschiedlichkeit in der Anlage und in der Perspektive, eines gemeinsam, das sie zu Gründungstexten der Cultural Studies werden läßt: Abschied zu nehmen von einem Kulturverständnis, das sich ausschließlich auf ästhetische und intellektuelle Werke und Prozesse bezieht. Das tritt im ursprünglichen Arbeitstitel von »Culture and Society«, nämlich »The Idea of Culture«, besser zutage als im Werktitel. »It is out of that rejection, with all its hesitations and evasions«, heißt es bei Sparks, »that cultural studies issued«(Sparks 1977, S.17).

Dieser Abschied und Aufbruch kommt wohl nirgendwo deutlicher zum Ausdruck, als in dem weniger polemisch als vielmehr programmatisch gemeinten Titel eines Essays von Raymond Williams aus dem Jahre 1958, »Culture is ordinary«. Kultur als etwas alltägliches zu verstehen ist zur Losung der Cultural Studies geworden, die gelebte Erfahrungen und Alltagshandeln als sozial bedeutsame und kulturell bedeutungsvolle Praxen thematisieren. Entgegen späterer Lesarten (die sich freilich zuweilen auf den Titel zu beschränken scheinen), geht dem Artikel von Williams alles Populistische ab; im Gegenteil: er wendet sich explizit gegen jene Sorte von Populisten, die sich gegenüber jede Art von Bildung und vor allem Bildungsstreben mokieren. Williams scheint in einer solchen Haltung eine Art von inversem Bildungsdünkel zu sehen, bei dem die Ablehnung von Bildung sich als Bildungsprivileg entpuppt. Das Interesse, sich Wissen und Kultur im Sinne von Bildung anzueignen, ist für Williams die selbstverständlichste Angelegenheit der Welt, auszuräumen sind vielmehr die Hindernisse, die einer solchen Aneignung im Wege stehen.

Williams' Position (wie auch die von Hoggart) ist durch einen ausgesprochen starken ›Glauben‹ an die subjektive Bedeutung von Bildung geprägt. Das ist mehr als verständlich aus der Perspektive von *scholarship boys*, von Schul-Stipendiaten aus der arbeitenden Klasse, aus einem weitgehend buchlosen Milieu. Hoggart verweist darauf in seiner Autobiographie. Verstärkend kamen bei den beiden aber die Erfahrungen aus ihrer Tätigkeit als *extramural teacher*, als Lehrer in der Arbeiterbildung, in der WEA (Workers Educational Association) hinzu.

Williams und Hoggart sind lebende Beweise für die Bedeutung von Bildung, gerade auch um Bildung zu kritisieren; denn ohne die Begegnung mit der hohen Kultur und vor allem ihren Vertretern, wären sie auch nicht in der Lage gewesen, deren immanente Grenzen aufzuzeigen. Auch geht es nicht um eine billige Popularisierung von Kunst und Kultur, nicht um Gleichmacherei, »not a lapse into the ›the Beatles are in their own way as good as Beethoven‹ nonsense«, wie Hoggart im Tenor eines kulturellen Neophyten retrospektiv schreibt (Hoggart 1991, S.130). In einem Interview hat sich Hoggart in dem Sinne als einen Arnoldian bezeichnet als er Matthew Arnolds Formel vom »The best that has been thought and said« stets geteilt habe. Man könnte auch sagen, daß es für Williams und Hoggart keine elitäre Kultur, sondern nur einen elitären Umgang mit Kultur gibt. Eine solche Interpretation würde im übrigen auch dem erfahrungsorientierten Ansatz entsprechen. Gerade im Habitus drückt sich die Prägung durch den »whole way of life« für sie aus. Nicht um Ablehnung von Kultur also, sondern um ihre Relativierung im wörtlichen Sinne geht es, um ein In-Bezug-Setzen von Kultur und Gelehrsamkeit zu den Prozessen der alltäglichen Lebensführung. Es sind die Erfahrungen aus der Tätigkeit in der Erwachsenenbildung – die brennende Frage etwa danach, worin der Zusammenhang eines Buches mit dem Leben außerhalb von Büchern besteht –, die Hoggart und seine Gefährten dazu gebracht haben, die konventionellen Grenzen des akademischen Curriculums in Frage zu Stellen und dadurch zu einem Perspektivenwechsel im Literaturunterricht zu gelangen.

Es leuchtet unmittelbar ein, daß das anthropologische Kulturkonzept – »Culture as a whole way of life« –, das Williams in die literaturwissenschaftliche Debatte einführt, ein hervorragendes Mittel ist, Kultur im engeren Sinne zu relativieren, in Beziehung zu setzen zum Leben »da draußen«. Und es ermöglicht auch Aspekte der alltäglichen Lebensführung als Ausdruck von Kultur zu verstehen. Damit ist aber nicht weniger als die argumentative und operative Grundlage der Cultural Studies formuliert.

Es ist die Übergangserfahrung von der Herkunftskultur zur akademischen Kultur, »moving out of a working-class home into an academic curriculum«, wie es Raymond Williams in einem Gespräch mit Richard Hoggart als gemeinsame Erfahrungsgrundlage formuliert hat, die die Bedeutung eines Verständnisses von Kultur als Lebensweise zutagefördert. Die der Anthropologie entlehnte Formel wird zu einer Formel von *cultural hybrids* aus *border country*, die einen neuartigen Zugang zum akkumulierten Kulturgut durch ein neues Verständnis von Kultur finden. Vor diesem Hintergrund wird auch verständlich, warum Hoggart und Williams zu den Gründungsvätern der Cultural Studies werden konnten, ohne daß sie jemals im konventionellen akademischen Sinne zusammengearbeitet hatten. Letzten Endes handelt es sich hier um eine kulturelle Erneuerung, die ihren Ausgang von »border country«, dem kulturellen Grenzgebiet, sei es nun Wales oder Yorkshire, genommen hat, und nicht von den klassischen akademischen Zentren. Williams lehnte die Vorstellung, daß die Entstehung der Cultural Studies auf dieses oder jenes Buch (auch auf sein eigenes) zurückzuführen sei, vehement ab. Statt dessen betonte er, daß »that shift of perspective about the teaching of arts and literature and their relation to history and contemporary society began in Adult Education, it didn't happen anywhere else« (Williams 1989, S.162). In der Erwachsenenbildung wird die Diskrepanz zwischen Text und Erfahrungswelt – »to learn about classical literature and to live in another world« – besonders deutlich; diese Diskrepanz hatten sie als Schüler am eigenen Leib erfahren. Gerade dort, wo diese Diskrepanz nicht vorhanden ist, wo die Welt der klassischen Literatur mit der Lebenswelt eine Einheit bildet, ein Teil der Lebenswelt ist, kann ihre Geltung auch nicht relativiert werden. Indem Williams auf die Herkunft der kulturalen Perspektive aus der Erfahrung der Erwachsenenbildung insistiert, betont er zugleich das Politische am Projekt Cultural Studies, das sich niemals nur als eine neue Disziplin, sondern auch als ein Beitrag zum sozialen und kulturellen Wandel verstanden hat.

2

Diese Orientierung hat von Anfang an, wie uns das Beispiel der Gründergeneration zeigt, eine selbstbezügliche Dimension, mehr noch: die Selbstbezüglichkeit ist konstitutiv für die Neuorientierung. »Typisch für die englische Debatte zum Thema ›Arbeiterkultur‹ ist ein hoher Authentizitätsgrad«, schrieb Wolf Lepenies 1979: »Wie Williams entstammen viele der Autoren, die sich über proletarische Kultur äußern, den Arbeiterschichten, darüber hinaus ist eine Personalunion von Kritiker und Autor keine Seltenheit« (Lepenies 1979, S.128). Wissenssoziologisch liegt es nahe, hier von einer Insider-Perspektive zu sprechen. Ob es anfangs um Arbeiterkultur oder um jugendliche Subkulturen oder später um Fragen des Feminismus geht, stets geht es dabei auch um *lived experience* im kulturanalytischen Sinne. Diese Legitimation der Selbstthematisierung wirkt befreiend, weil das persönliche Interesse an und die persönliche Erfahrung mit dem Thema nicht mehr länger als Tabu behandelt und hinter dem Paravent der Objektivität verborgen werden muß. Gerade im Bereich dessen, was in der 60er Jahre-Soziologie als »abweichendes Verhalten«, mit ihren Feldern von Subkulturen und »Szenen«, bezeichnet wurde, machte sich dieses Tabu in einem methodologischen Eiertanz bemerkbar, der die Überschreitung der Grenzen, die wissenschaftliche »Abweichung«, durch Strenge an sich selbst exorzieren sollte. Zweifellos ist die Faszination, die die Cultural Studies auf »junge Leute« ausüben, wie es einmal eine Ethnologin ausdrückte, nicht zuletzt in der Lizenz zur Selbstthematisierung begründet. Zum ersten Mal sind persönliche Erfahrungen nicht nur legitim, sondern haben sogar Gewicht im akademischen Feld. Simon Frith und Jon Savage haben diesbezüglich von der Gestalt des »fan with special skills« gesprochen.

Ein Insider einer Outsider-Szene zu sein ist aber epistemologisch etwas anderes als ein Außenseiter der Akademie, der auf dem Wege zum Insider ist. Das Erfahrungswissen, das die Mitglieder der Gründergeneration einbringen, begnügt sich nicht mit sich selbst, verharrt also nicht auf der Ebene der lebenslangen Selbstthematisierung, sondern bildet den Ausgangspunkt (das kulturelle Kapital in Form der Erfahrung), um das herrschende Wissenssystem zu kritisieren und seine Defizite aufzuzeigen. Die Gründergeneration nutzt ihre Erfahrung nicht zuletzt, um den Kanon zu erweitern und zu modernisieren. In dieser Hinsicht stellt sich das Projekt der Cultural Studies nicht zuletzt als ein Modernisierungsprojekt dar.

Demgegenüber wuchert der Insider der Outsider-Szene mit seinem Wissen in einem exklusiven Feld. Er behauptet eine Kennerschaft, die nicht intellektuell, sondern nur existentiell erworben werden kann. Daher auch der anti-akademische Gestus einiger Vertreter der Cultural Studies. Mit dieser Bindung des Wissens an eine existentielle Erfahrung wird die zentrale Problematik, mit der sich die Anthropologie als die Wissenschaft von der Repräsentation des Anderen im Kontext postkolonialistischer Kritik zunehmend konfrontiert sieht, die Frage nämlich, wer das ›Recht‹ hat (für wen) zu sprechen, geschickt umgangen. Eine Antwort der Anthropologie auf diese Frage ist die Entwicklung ›dialogischer‹ und ›polyphoner‹ also mehrstimmiger Darstellungsformen, die von Bachtins Idee der Dialogizität angeregt wurden. Erkenntnisse werden in diesem Kontext als Resultat eines offenen Dialogs zwischen dem Selbst und dem Anderen verstanden, der gegen die »Meisternarrative« der westlich dominierten Anthropologie gerichtet ist. Demgegenüber zeichnet sich bei den Cultural Studies eine Lösung ab, die zugleich radikaler und einfacher ist: in letzter Konsequenz läuft sie auf die Position hinaus, daß ausschließlich der Selbstdarstellung der eigenen Gruppe noch das Signum legitimer Repräsentation anhaftet. Das ist freilich alles andere als unproblematisch, bedeutet dies doch eine Radikalisierung der wissenssoziologischen Insider-Position zu einer Doktrin im Sinne des »you have to be one in order to understand one?«. In strikter Ausformulierung als epistemologisches Prinzip bedeutet dies, daß bestimmte Gruppen zu einem bestimmten Zeitpunkt über ein Wissensmonopol verfügen, wie es Robert Merton bereits 1972 in seinem klassischen wissenssoziologischen Aufsatz über »Insiders and Outsiders« ausgeführt hat. Dieser epistemologische Fundamentalismus, konsequent durchgehalten, führt nach Ansicht von Merton letztlich zur »Balkanisierung der Sozialwissenschaften« (Merton 1972, S. 13).

Robert Mertons Position wirkt heute konservativ. Für den Sozialanthropologen Hans-Rudolf Wicker zum Beispiel ist die Scheidelinie zwischen moderner und postmoderner Ethnographie durch den Wandel markiert, der sich in der Valenz der epistemologischen Standpunkte (Outsider- versus Insider-Perspektive) niederschlägt. Die Position des Außenstehenden als legitime ethnographische Position ist für ihn untrennbar mit der Moderne verbunden. Deren Zeit aber ist seiner Interpretation zufolge unwiderruflich vorbei. Aufgrund der Herausbildung eines Weltsystems kann es keinen Standpunkt »außerhalb« mehr geben. Beobachter sind selber Teil des beobachteten Feldes und deshalb Teil der Geschichte dieses Feldes. Forschung in den Sozialwissenschaften wird heute nolens volens aus der Innenperspektive unternommen. Nun scheint sich dieses Argument aber einer Verkennung zu verdanken, die die Vernetzung über Globalisierungsprozesse im Sinne des Näherrückens des Anderen naiv räumlich interpretiert. Strenggenommen aber ist der Beobachter selbstverständlich immer schon Teil des beobachteten Feldes gewesen – ein anderer epistemologischer ›Standpunkt‹ ist nicht denkbar.

In der Tat ist eine generelle Verlagerung von der »Outsider-« zur »Insider-Perspektive« festzustellen, freilich in einem zugleich radikaleren wie restriktiveren Sinne. Das Prinzipiellere scheint mir darin zu bestehen, daß die Position des »Sprechers *für*« durch die des »Sprechers *als*« abgelöst worden ist. Die ideale Sprecherposition im Rahmen der Cultural Studies und der ihnen assoziierten Bereiche bildet mittlerweile die des *native speaker*. Das hat zu einer kritischen Durchsicht vorliegender Abhandlungen und zu einer außerordentlich fruchtbaren Re-Vision im wörtlichen Sinne geführt. Der *native speaker* stellt einen organischen Intellektuellen neuen Typs dar. Dieser bezieht seine Legitimation nicht aus einem Akt der Zuwendung (»im Dienst des Volkes«), sondern aus der Tatsache der Herkunft (»Sohn des Volkes«), er ist also gewissermaßen organisch in einem nicht-metaphorischen Sinne. Diese Sprecher bringen nicht nur neue Perspektiven in ein bestimmtes Feld ein, sie verkörpern dies vielmehr wortwörtlich. Damit nähern wir uns aber in der Tat einer »Ethnisierung des kulturwissenschaftlichen Diskurses«, wie sie von Wolfgang Müller-Funk unlängst beklagt wurde.

LITERATUR

Bourdieu, Pierre, Homo academicus, Frankfurt a. M. 1992

Elias, Norbert, John L. Scotson, Etablierte und Außenseiter, Frankfurt a. M. 1993

Frith, Simon, Jon Savage, Pearls and Swine. The Intellectuals and the Mass Media, in: NLR, No.214 (1995), S.107-116

Hoggart, Richard, The Uses Of Literacy, Harmondsworth 1976 (1957)

Hoggart, Richard, A Sort of Clowning, Oxford 1991

Kohli, Martin, »Von uns selber schweigen wir«. Wissenschaftsgeschichte aus Lebensgeschichten, in: Wolf Lepenies (Hg), Geschichte der Soziologie, Bd. l, Frankfurt a. M.1981, S.428-465

Lepenies, Wolf, Arbeiterkultur. Wissenschaftssoziologische Anmerkungen zur Konjunktur eines Begriffs, in: Geschichte und Gesellschaft 5.Jg.(1979), S. 125-136

Lutter, Christina, Markus Reisenleitner, Cultural Studies. Eine Einführung, Wien 1998

Merton, Robert K., Insiders and Outsiders. A Chapter in the Sociology of Knowledge, in: AJS vol. 78 (1972), S.9-47

Müller-Funk, Wolfgang, Gramsci in Disneyland. Zur amerikanischen Version von Kulturwissenschaften, in: Merkur Nr.596/1998, S. 1075-1082

Sparks, Colin, The Evolution of Cultural Studies, in: Screen Education No.22 (1977), S. 16-30

Thompson, Edward P., Das Elend der Theorie. Zur Produktion gesellschaftli-
    cher Erfahrung, Frankfurt a. M./ New York 1980
Wicker, Hans-Rudolf, Flexible Cultures, Hybrid Identities and Reflexive Ca-
    pital, in: Anthropological Journal of European Cultures 5 (1996), S.7-29
Williams, Raymond, Culture and Society, Harmondsworth 1976 (1958)
Williams, Raymond, Culture is ordinary (1958), in: Ders., Resources of
    Hope, London / New York 1989, S.3-18
Williams, Raymond, The Future of Cultural Studies, in: Ders., The Politics of
    Modernism, London 1989. S.151-162

Robert Musil, 1860-1942

FOTO: BILDARCHIV, ÖNB WIEN

Das Staatsprinzip des ›Fortwurstelns‹

Kultur als Text, Musils ›anthropologische Wende‹ und
der Text der Klassischen Moderne

CHRISTOPH BRECHT

*Daß wir es nötig haben, ist ein
Vorsprung.*
(Robert Musil, Der deutsche
Mensch als Symptom; 1923)

I. TEXT: ÖSTERREICHS WELTSENDUNG

Die *Neue Unübersichtlichkeit* in der Kultur, längst auch nicht
mehr die jüngste, war so neu niemals, wie sie scheinen wollte.
Schon General Stumm von Bordwehr, eine der prägnantesten
Figuren aus dem Kosmos des Musilschen *Mannes ohne Eigenschaften*,[1] mußte »nach vollzogener Bestandsaufnahme des mit-
teleuropäischen Ideenvorrats« die bestürzende Erfahrung machen, daß dieser Vorrat nicht allein »aus lauter Gegensätzen be-
steh[t]«, sondern daß »diese Gegensätze bei genauerer Beschäftigung mit ihnen ineinander überzugehen anfangen« (MoE 373).
Damit erwies sich das zum Zweck der Ordnungsstiftung sorg-
sam angelegte »Grundbuchsblatt der modernen Kultur« (MoE
372) als wertlos; der General konnte Ulrichs Feststellung nicht
abweisen, »daß man alles, was man an Ordnung im einzelnen
gewinnt, am Ganzen wieder verliert, so daß wir immer mehr
Ordnungen und immer weniger Ordnung haben« (MoE 379).
Zu einer Welt, die sich solchermaßen durch Selbstorganisation
dem Zustand der Entropie nähert, paßt bestens jene altkakani-
sche ›Maxime des Fortwurstelns‹, die in Robert Musils Roman-
fragment gleich zweimal ausgegeben wird. Zunächst ist es – im
54. Kapitel des *Ersten Buches* – Walter, der sie in polemischer Ab-

sicht gegen Ulrich in Stellung bringt und, übrigens, korrekt zitiert: »Weißt du, was du da sagst? Fortwursteln! Du bist einfach ein Österreicher. Du lehrst die österreichische Staatsphilosophie des Fortwurstelns.«[2] Ulrich reagiert mit ironischer Zustimmung und beglückwünscht seinen Jugendfreund, »Österreichs Weltsendung entdeckt« zu haben (MoE 216). Später scheint er sich, wieder im Anschluß an eine Begegnung mit Walter und Clarisse, dieser Pointe zu erinnern. »Das Gesetz der Weltgeschichte«, fällt ihm im *83. Kapitel* des *Ersten Buches* ein, »ist nichts anderes als der Staatsgrundsatz des ›Fortwurstelns‹ im alten Kakanien. Kakanien war ein ungeheuer kluger Staat« (MoE 361).

Diese Formulierung ihrerseits nimmt nun allerdings nicht direkt Walters boshafte Spitze auf, zitiert dafür jedoch fast wörtlich aus einem Konvolut, in dem Musil 1923 einen nie vollendeten Essay mit dem Titel *Der deutsche Mensch als Symptom* skizziert hatte. Dort war der Autor in einer weit ausgreifenden Thesenreihe zu einer eigenen »Ansicht« von der Natur des Menschen gelangt; seines Erachtens scharf von Konstrukten jener Art unterschieden, »welche den Menschen als ein einfaches, determiniertes Kreuzungsprodukt von Rassen oder als Einzelfall von Epochen und Kulturen erklär[en].« Der Musilschen Konzeption fehlt jene »Würde der Notwendigkeit, welche die andre so pompös macht«. Denn »eigentlich ist ihr Gesetz der Weltgeschichte nichts andres als das Staatsprinzip des ›*Fortwurstelns*‹ im alten Österreich.«[3]

Was den Roman betrifft, könnte man die Sache mit diesem Nachweis für prinzipiell bereits erledigt halten: Ulrich, so sieht es aus, fungiert an der oben zitierten Stelle – wie so oft – als Sprachrohr eines Autors, der diese Übereinstimmung der Meinungen freilich (wie nicht selten) dadurch ironisch verwischt, daß er das Zitat zuerst, auf ungenaue Weise, einer Spiegelfigur zuschreibt, um es dann in der Perspektive des Helden sozusagen verdoppelt zurechtzurücken. Damit bliebe, im Detail, allenfalls zu klären, welche Rolle dem 1923 liegengebliebenen essayistischen Komplex in der Entstehungsgeschichte des Romans zuzuweisen ist. Und auch diese Frage, die ohnehin nur im engeren Kontext der Musil-Philologie Relevanz hat, ist zunächst einigermaßen unproblematisch zu beantworten. In der Tat kehren zahlreiche Motive aus *Der deutsche Mensch als Symptom* im *Mann ohne Eigenschaften* und insbesondere im poetologisch zentralen *83. Kapitel – Seinesgleichen geschieht oder warum erfindet man nicht Geschichte?* wieder; sie sind dort allerdings, was nicht überraschen kann, neu gruppiert und anders pointiert. Daß die den Zeitgenossen Ulrichs wohl geläufige Formel vom Staats-Prinzip, -Grundsatz, oder der -Philosophie des Fortwurstelns in einem Kakanien-Roman nicht fehlen darf, liegt weiterhin umso näher, als sie sich zur geradezu emblematischen Kennzeichnung jener Aktivitäten anbietet, die in der Parallelaktion eher zusammen-laufen, als -gefaßt werden. Daß schließlich Ulrich diese Maxime, die ihm von dritter Seite zugespielt wird, ins Affirmative wendet, um sie nachträglich für seine eigenen Zwecke umzuschreiben, ist charakteristisch für das Spielverfahren eines Textes, in dessen Machart sich auf unnachahmliche Weise logische Stringenz der Reflexion mit der wechselseitigen Einschränkung jedes vermeintlich festzuhaltenden Gedankens durch andere verbindet.

Versteht man den Roman auf diese Weise, mit Formulierungen des notorischen *Essayismus*-Kapitels (Nr. 62), als »Kraftfeld« oder als »ein unendliches System von Zusammenhängen« (MoE 250f.), dann kann fast a priori vorausgesetzt werden, daß die spöttische Rückfrage an Walter, »wozu er eigentlich einen Sinn [des Lebens] brauche« (MoE 216), mit der Frage *warum erfindet man nicht Geschichte?* (MoE 357) in Beziehung steht, bzw. daß Ulrichs Explikation, die Walter erst auf den Vorwurf von der »Staatsphilosophie des Fortwurstelns« kommen läßt, nicht zufällig auf das Stichwort des *Seinesgleichen geschieht* anspielt: »Was man im Leben braucht, ist bloß [...] alles das, was einem Menschen versichert, daß er zwar in keiner Weise etwas Ungewöhnliches ist, aber in dieser Weise, keinerweise etwas Ungewöhnliches zu sein, doch nicht so leicht seinesgleichen hat« (MoE 216). Dies ist ein Vorbehalt, unter dem alle Figuren des Romans stehen – letztlich auch die Geschwister Ulrich und Agathe mitsamt der traditionsgesättigten ›Ungewöhnlichkeit‹ des von ihnen angestrebten *anderen* Zustands: *Seinesgleichen geschieht* – und womöglich nicht mehr. Das wäre, auf den Punkt gebracht, jenes »Gesetz der Weltgeschichte« (MoE 361), gegen dessen Nötigung zum »wehrlose[n] Hinnehmen« und »menschenunwürdige[n] Mitmachen« (MoE 360) Ulrich sich empört – und das Musil von der »ungeheure[n] Grausamkeit unserer politischen und wirtschaftlichen Organisationsform«[4] sprechen läßt.

Poetologisch gewendet, auch das führt das *83. Kapitel* vor, läßt sich aus diesem Prinzip des aus sich selbst fortwurstelnden Seinesgleichen eine geschichtsskeptische Perspektive entwickeln, die ihrerseits das literarische Vermögen zum Geschichten-Erzählen nicht von Kritik verschont. Ist die Fähigkeit zur historischen Sinnbildung einmal vom »Zentrum« auf die »Peripherie« (MoE 361) verschoben, kann dies – gerade »weil Weltgeschichte zweifellos ebenso entsteht wie alle anderen Geschichten« (MoE 360) – nur bedeuten, daß die individualitäts- und intentionalitätszentrierte Fokussierung hergebrachter Narrationen aufgegeben werden muß. Nicht nur »im Verlauf der Weltgeschichte«, sondern auch im Fortschreiten einer Romanerzählung nach Art des *Mann ohne Eigenschaften* liegt darum »ein gewisses Sich-Verlaufen« (MoE 361). Kein Wunder also, so der weitgehende Konsens der Interpreten, daß der Roman Fragment geblieben ist ...

Nun läßt sich allerdings, im Prinzip, mit der hier nur angedeuteten Art Lektüre ohne Ende fortfahren – ganz nach dem Motto einer *Reise vom Hundertsten ins Tausendste*. Und in diesem Befund liegt ein prinzipielles Dilemma für jene professionellen Leser, die am Beispiel von Texten der literarischen Moderne gern auch einmal – wie ihre auf den fruchtbaren Feldern des literarischen ›Realismus‹ angesiedelten Kollegen – etwas Substantielles und interdisziplinär Wegweisendes zum neuen Kulturalismus in den Textwissenschaften beitragen wollen: Wer immer nur das Hamsterrad selbstreflexiver Spiegelphänomene dreht, provoziert bei seinen Gesprächspartnern einen Zustand der Erschöpfung, welcher Langeweile verdächtig ähnlich sieht. Zumindest der Musil-Leser kommt jedoch nicht aus dem Drehen dieses Rades heraus. Ganz gleich, wo er anfängt: Er gerät in den Modus einer virtuell unabschließbaren Allegorese, der ihre Ober- und Unterbegriffe, Prä- und Phänotexte vom Roman selbst zugespielt werden. Ein kursorischer Blick auf die Forschung belegt hinreichend die Unausweichlichkeit dieser Leseweise: Da wird die Alternative von *Wirklichkeits- und Möglichkeitssinn* auf das Problem der *Eigenschaftslosigkeit* hin verschoben, und dieses auf das Verfahren des *Essayismus*, welches wiederum auf die *Frage nach dem rechten Leben* verweist, die mit einem Ausblick auf den *anderen Zustand* zu beantworten ist, wobei dessen Sinn aber nicht ohne Rücksicht auf die im *Verlust des epischen Nacheinander* angezeigte Erzähl-Problematik adäquat erfaßt werden kann, die ihrerseits in engem Zusammenhang mit jener Poetik der *Weltgeschichte* steht, welche insofern in der Unterscheidung von

Wirklichkeit und Möglichkeit fundiert ist, als sich beider Ununterscheidbarkeit frühestens in der *essayistischen Eigenschaftslosigkeit eines rechten Lebens im anderen Zustand jenseits des epischen Nacheinander* herausstellen wird.

Der Sinn des Ganzen verläuft sich – wie abzusehen war: »Das scheinbar Feste« kann nurmehr »zum Vorwand für viele andere Bedeutungen« (MoE 251) dienen. Daß Musil die Gefahr, die dabei droht, nicht verkennt und ihr zu begegnen sucht, ist ebenso unbestreitbar wie sein Bewußtsein davon, die mit einer solch selbstreflexiven Texturierung der Diskurselemente einhergehenden Risiken nicht vermeiden zu dürfen. Beides zusammen macht Musil zum exemplarischen Autor der Klassischen Moderne. Aus dieser Sachlage erklärt sich jedoch auch die charakteristische Unentschiedenheit der Forschung, die in ihrer ganzen Breite oft genug haltlos zwischen mimetischer Angleichung an die im Roman betriebene Selbstauslegung der Selbstauslegung und der flüchtigen Außensicht kunstrichterlichen Besserwissertums schwankt – wenn sie sich nicht ganz auf das sichere Terrain einer isolierten Betrachtung einzelner Diskurselemente (à la ›Möglichkeit um 1900‹; ›Musil und Mach‹; ›Inzest: gestern, heute, übermorgen‹) zurückzieht.

Die daraus entspringende Frage, ob es zur schlechten Alternative zwischen hermeneutischem Fortwursteln in der Nachfolge Ulrichs und der großen Gebärde dezisionistischer Sinnsetzung à la Walter ein tertium gibt – die Frage nach einem, generell gesprochen, heuristisch adäquaten Zugang zum Text der Moderne und seinen ›kulturellen Gehalten‹ –, sei fürs erste noch zurückgestellt. Im folgenden soll zunächst einmal absichtsvoll allein an jenem eher unscheinbaren Faden des Textgewebes *Mann ohne Eigenschaften* gezogen werden, an den das Bonmot des Grafen von Taaffe, die Staatsphilosophie des Fortwurstelns, geknüpft ist. Liest man nämlich von dem frühen Zitat der Formel in den Entwürfen zu *Der deutsche Mensch als Symptom* noch weiter zurück, so wird deutlich, daß sich hinter ihr eine im Roman nurmehr verwischt erkennbare Auseinandersetzung mit Problemen der Kulturanthropologie verbirgt, die zu Anfang der 1920er Jahre einen Brennpunkt von Robert Musils intellektueller Tätigkeit ausmacht. Dieser Umstand ist nicht gerade allgemein bekannt, und er ist an und für sich schon bemerkenswert genug.

II. *KULTUR:* DER UNTERSCHIED DES DEUTSCHEN MENSCHEN VOM NEGER

»Es gibt zitronengelbe Falter, es gibt zitronengelbe Chinesen; in gewissem Sinn kann man also sagen: Falter ist der mitteleuropäische geflügelte Zwergchinese. Falter wie Chinese sind bekannt als Sinnbilder der Wollust. Zum erstenmal wird hier der Gedanke gefaßt an die noch nie beobachtete Übereinstimmung des großen Alters der Lepidopterenfauna und der chinesischen Kultur. Daß der Falter Flügel hat und der Chinese keine, ist nur ein Oberflächenphänomen. Hätte ein Zoologe je auch nur das Geringste von den letzten und tiefsten Gedanken der Technik verstanden, müßte nicht erst Ich die Bedeutung der Tatsache erschließen, daß die Falter nicht das Schießpulver erfunden haben; eben weil dies schon die Chinesen taten. Die selbstmörderische Vorliebe gewisser Nachtfalterarten für brennendes Licht ist ein dem Tagverstand schwer zugänglich zu machendes Relikt dieses morphologischen Zusammenhangs mit dem Chinesentum. –«[5]

Was mit diesem Kabinettstückchen aus der Hexenküche der *defamiliarization by cross-cultural juxtaposition* oder, altmodischer gesprochen, der Auffrischung der Geistesgeschichte durch kulturanthropologische Querschüsse, zu beweisen war: Man »meint es quasi, arbeitet mit Analogien und in irgendeinem Sinn kann man da immer recht haben«.[6] Die 1921 erschienene Spengler-Rezension *für Leser, welche dem Untergang des Abendlandes entronnen sind,* bildet die erste Belegstelle für Robert Musils Versuch, einer durch Krieg und Kriegsende provozierten Konjunktur der Kulturkritik durch Beiziehung einer im engeren Sinn kulturtheoretischen Argumentation höhere Konsistenz zu verleihen. Oder anders formuliert: Musil stellt sich hier zum ersten Mal der Herausforderung, der durch die Figur Spengler exemplarisch verkörperten Tendenz eines Ausweichens vor den konkreten Zeitproblemen ins kulturell Allgemeine und Allgemeinste nicht allein polemisch, durch Aufdeckung des in dieser Fluchtbewegung verborgenen ideologischen Interesses, zu begegnen, sondern ihr konstruktiv dadurch zu antworten, daß kritische Zeitdiagnose und Anthropologie auf alternative Weise fusioniert werden – mit dem unausgesprochenen Ziel, zu einer genuinen Theorie der Moderne durchzudringen.

Geradezu leidenschaftlich geht der Autor gegen jene seines Erachtens »falsche Skepsis« an, die mit »Spengler sagt: Es gebe keine Wirklichkeit. Natur sei eine Funktion der Kultur. Kulturen seien die letzte uns erreichbare Wirklichkeit.« Gegen diesen ra-

dikalen und zugleich bequemen Relativismus beharrt Musil auf
dem irreduziblen Gewicht des neuzeitlichen Bündnisses zwischen *Tatsachen* und *Erfahrung*, auf einer »Erkenntnis«, die
»auch ein Inhalt« ist. Und er macht implizit – das ist seine Form
des Analogieschlusses – die Relevanz solcher Inhalte auch für
den Bereich der Kultur geltend. Will man freilich auf den Klotz
des Spenglerschen Skeptizismus nicht einen ebenso groben Keil
setzen, indem man alle natürlichen und zivilisatorischen Differenzen in der monistisch geschlossenen ›Wirklichkeit‹ einer
»gemeinsame[n] Kultur« zusammenzwingt, »so bleibt wohl«,
sinniert Musil,

> »nichts anderes übrig als ein gemeinsames Regulativ anzunehmen,
> das außerhalb der Subjekte liegt, also eine Erfahrung, die der Erweite-
> rung und Verfeinerung fähig sein könnte, die Möglichkeit eines Erken-
> nens, irgendeine Fassung von Wahrheit, des Fortschritts, Aufstiegs,
> kurz gerade jene *Mischung* subjektiver und objektiver Erkenntnisfak-
> toren, deren Trennung die mühselige Sortierarbeit der Erkenntnis-
> theorie ausmacht.«[7]

Wie freilich dieses Regulativ, welches das Funktionieren kultureller Prozesse ohne Zuhilfenahme »kunsthistorische[r] Wahr-
heitsprothesen [...] wie Kultur und Stil«[8] erklären könnte, auszu-
sehen hat: Das ist die entscheidende Frage. Musil ist sich seiner
Sache sichtlich noch keineswegs sicher, und so versucht er in der
Spengler-Rezension, dem Gemeinten durch Einführung seiner
Unterscheidung zwischen ratioïdem und nicht-ratioïdem Gebiet
und mit einem Verweis auf das Text-Modell *Essay* näherzukom-
men: »Anstelle des starren Begriffs tritt die pulsierende Vorstellung, anstelle von Gleichsetzung treten Analogien, an die der
Wahrheit Wahrscheinlichkeit, der wesentliche Aufbau ist nicht
mehr systematisch, sondern schöpferisch.«[9] Daß er sich nun, im
Gegenzug zu seinen zunächst vorgebrachten Einwänden, wieder
in eine nicht unproblematische Nähe zum Gegenstand seiner
Kritik begibt, bleibt Musil offensichtlich nicht verborgen; auch
Spengler analogisiert – und wie! –, auch er geriert sich als Essay-
ist. Doch seine großzügig-schlampige Simulation von Kulturanalyse, so kann man Musils Kritik wohl zusammenfassen,
genügt den durchaus strengen Forderungen nicht, die gerade an
die essayistische Erkenntnisweise zu stellen sind.
Was Musil abschließend verlangt, ist »ei[n] Plan, eine Arbeits-
richtung, eine andre Verwertung der Wissenschaft wie der Dichtung!«[10] Dem Bemühen darum gilt seine sporadische essayisti-

sche Arbeit in den folgenden Jahren. Sie wird noch 1921 fortgeführt im Traktat über *Die Nation als Ideal und Wirklichkeit*, weit
gefaßt in der Schrift *Das hilflose Europa oder Reise vom Hundertsten ins Tausendste* (1922) und mündet schließlich 1923 in die
oben bereits zitierten Aufzeichnungen *Der deutsche Mensch als
Symptom*. – »So sieht also Weltgeschichte in der Nähe aus; man
sieht nichts«, diagnostiziert Musil in einem Rückblick auf »zehn
Jahr[e] Weltgeschichte im grellsten Stil«,[11] der seine *Reise vom
Hundertsten ins Tausendste* eröffnet. Statt daß sich Einsicht in
die »Notwendigkeit der Geschichte« einstellte, »ist ein sehr aktu-
elles Gefühl von Zufall mit bei allem, was geschah.«[12] Kein Wunder. »Schlicht gesagt: Was man geschichtliche Notwendigkeit
nennt, ist bekanntlich keine gesetzliche Notwendigkeit, [...] sondern ist so notwendig, wie es die Dinge sind, ›wo eins das andere
gibt‹. [...] Das Weltbild verliert dadurch an sogenannter Erhabenheit.«[13] Auf den historiographischen Punkt gebracht, ist aus
dieser Einsicht zu folgern:

> »Eine historische Betrachtungsweise, welche das Geschehen in aufein-
> anderfolgende Epochen zerlegt und dann so tut, als entspräche jeder
> ein bestimmter historischer Typus Mensch – also etwa der griechische
> oder der gotische oder der moderne –, und ferner so tut, als gäbe es da
> einen Auf- und Abstieg (etwa also der frühgriechische – der griechi-
> sche – der hochgriechische – der spät- und verfallsgriechische – der
> nichtgriechische Mensch), und es wäre da etwas aufgeblüht und ver-
> welkt, nicht bloß eine Entfaltung, sondern ein Wesen, das sich entfal-
> tete, eine Menschenart, eine Rasse, eine Gesellschaft, ein real wirken-
> der Geist, ein Mysterium: eine solche Betrachtungsweise, die heute
> nicht nur in der Essayistik üblich ist, sondern vielfach auch in der hi-
> storischen Forschung selbst, arbeitet mit einer Hypothese.
>
> Gegeben ist von der Sache nur das Phänomenale. [...] Ähnliche Le-
> bensäußerungen (und in der Geschichte handelt es sich ja doch nur
> um Ähnlichkeiten und Analogien) bilden durchaus, über Zeit und Ort
> verteilt, ein Kontinuum, das sich nur an bestimmten Stellen auffallend
> verdichtet.«[14]

Man sieht, wie die Begründungszusammenhänge der Spengler-
Rezension hier wiederkehren und ihre – zunächst einmal ge-
schichtstheoretisch pointierte – Zuspitzung erfahren. Doch die
Wendung gegen jene monumentalen Geschichts-Individuen, wie
sie der Historismus des 19. Jahrhunderts eben nicht nur in seinen geschichtsphilosophischen ›Spitzenleistungen‹, sondern gewissermaßen alltäglich – durch seine diskursive Praxis, ein jedes
Phänomenales in ein Erzählbares zu verwandeln – erzeugt

hatte,[15] kann nur erfolgen, wenn zur Übermacht der Geschichte als selbstbewegend-sinnstiftender Instanz ein begriffliches Gegengewicht[16] installiert wird. Die Befreiung des Phänomenalen aus dem Streckbett des Historismus wird darum zum Ansatzpunkt jener kulturanthropologischen Wende (oder besser: Wendung) in Musils Denken, deren Leitsatz der Autor ein Jahr später (für den Hausgebrauch) so kurz wie trocken auf den Punkt bringt: »Ich glaube nicht an den Unterschied des deutschen Menschen vom Neger.«[17]

Musil spielt diesen Gedanken in verschiedenen Variationen durch; er statuiert die anthropologische Faust-»Formel [...]: Große Amplitude der Äußerung, kleine im Innern« und stellt das Postulat auf, »das Entscheidende und Treibende« kultureller Veränderungsbewegungen müsse man

> »mehr, als es gewöhnlich geschieht, an der Peripherie suchen, bei den Um-ständen, beim ›Ans-Ruder-Kommen‹ bestimmter Menschen- oder Anlagengruppen innerhalb eines im ganzen ziemlich gleichen Gemischs, beim Zufall oder, richtiger gesagt, bei der ›ungesetzlichen Notwendigkeit‹, wo eins das andere gibt, nicht zufällig, aber doch in der durchreichenden Aneinanderkettung von keinem Gesetz beherrscht.«[18]

Die Behauptung, in solcher »Betrachtungsweise« stecke ein »ungeheure[r] Optimismus«, wie er zuletzt in den Aufkärungsbestrebungen des 18. Jahrhunderts dagewesen sei,[19] wird freilich – auf den ersten Blick – seltsam gespiegelt von den ersten Notizen zu *Der deutsche Mensch als Symptom*, wo es apodiktisch heißt: »Um 1900 [...] glaubte man an die Zukunft.«[20] Allerdings, der Glaube allein machte nicht selig, sondern »was damals als Richtung erschien, hat sich aufgelöst; ein Strang hat sich aufgedröselt. Es zeigt sich, daß auch damals schon alles vorhanden war, es ist dann nacheinander in Erscheinung getreten und heute ist es gleichzeitig nebeneinander da.«[21] Ein historischer Befund mit paradoxen Zügen: Untergründig ist durchaus noch die entelechische Vorstellung von der Ausfaltung des in einem Zeit-Keim Angelegten spürbar, doch das Nacheinander der Erscheinungen läuft nun gerade auf die Auflösung des gerichteten Entwicklungssinns hinaus, und das erreichte Ziel, wiewohl es dem Anfangsstadium verdächtig gleichsieht, läßt die historische Bewegung vollends im Stillstand eines simultanen Tableau terminieren – Ende der Geschichte. Musils Fazit entspricht bis in die Formulierung hinein der Selbstdiagnose, die zahlreiche Zeitgenossen[22] dem Historismus der Epoche stellen: »Während man um 1900 an die Ankunft eines neuen Menschen glaubte, ist man heute verzweifelt und hoffnungslos. Man hat alle historischen Möglichkeiten und keine gegenwärtige Wirklichkeit.«[23] Was Musil freilich wiederum vom kulturkritischen Mainstream der 1920er Jahre unterscheidet, ist sein neuerlicher (hier recht kryptischer) »Versuch [...], zu einer positiven Bewertung dieses chaotischen Zustands zu raten. Urträume udgl. Eine solche Zeit kann nicht schlecht oder schwach sein. Üblich ist aber, in ihr nur eine Verfallserscheinung zu sehn.«[24]

Je mehr sich Musil nun, im Verlauf mehrerer Entwurfsstadien seines Essays, an eine Begründung für seinen (trotz des scheinbar für die Moderne charakteristischen Verlustes an Werten und Bindungen durchgehaltenen) Optimismus heranzuschreiben sucht, umso deutlicher drängt sich zum wiederholten Mal das kulturanthroplogische Prinzipienproblem vor die unmittelbare Zeitdiagnose. Um überhaupt nur erklären zu können, inwiefern es »ein europäisches Symptom (Sympt. der weißen Zivilisation)« ist, »daß wir den deutschen Menschen suchen u. nicht finden«,[25] genügt nicht der Blick auf die Moderne allein, wie ihn der hier zitierte zweite Entwurf des Textes zum Ausgangspunkt nimmt. Es gilt zuvor, *negativ*, die Illusion vom »Unterschied des deutschen Menschen vom Neger« zu verabschieden bzw., *positiv*, zu begreifen: »Die Begriffe Rasse, Nation, Volk, Kultur enthalten Fragen und nicht Antworten, sie sind nicht soziologische Elemente, sondern komplexe Ergebnisse.« Und das hat zur Konsequenz: »Den deutschen Menschen für ein Symptom betrachten, heißt m. a. W., die Problematik der Zivilisation aufwerfen.«[26] Zivilisation ist aber eben dadurch gekennzeichnet, daß sie alle als fest gedachten »Einheiten durchquer[t]« und die vermeintlich wesentlichen Unterschiede zwischen wie immer sortierten Gruppen von Individuen sämtlich »durchkreuzt". Noch einmal wird es, im nächsten Anlauf hingeschrieben:

> »Da also diese Begriffe Rasse und Kultur, Volk und Nation (ja auch der aus der Kulturgeschichte genommene hilflose Hilfsbegriff Epoche) augenfällig auf etwas Reales hinweisen, ebenso augenscheinlich aber nichts fest Faßbares oder gar Einfaches bezeichnen, kann man von ihnen vernünftigermaßen keinen andren Gebrauch machen, als daß man in ihnen Fragen und nicht Antworten sieht, nicht Substrate der Erscheinungen, sondern Ergebnisse, m. a. W: Produkte und nicht Produzenten.«[27]

Am so Erreichten macht sich ein wahrhaft fortgeschrittenes Pro-
blembewußtsein bemerkbar, das an diesem Punkt, in der analytischen Auflösung des in den oben angegebenen Begriffen Synthe-
tisierten, endgültig in den Entwurf einer alternativen Kulturtheorie einmündet – einer Theorie freilich, die Musil nur frag-
mentarisch, gewissermaßen als Metakritik des kulturkritischen
Genres, skizziert und endlich am entscheidenden Punkt abgebrochen hat, um sie in selbständiger Form nicht wieder aufzu-
greifen.

Im Zentrum des Musilschen Entwurfs steht das sogenannte
Theorem der menschlichen Gestaltlosigkeit, das von der antihisto-
ristischen »Grundvorstellung« ausgeht: »Das Substrat, der
Mensch, ist überhaupt nur eines und das gleiche durch alle Kulturen und historischen Formen hindurch; wodurch sie und somit auch er sich unterscheiden, kommt von außen und nicht von
innen.« Mit diesem Theorem wird der gleichsam transzendenta-
len *Hypothese*, auf die sich (schon nach Auskunft der Spengler-
Rezension) die narrativen Synthesen der Historiker stützen, eine
nicht weniger hypothetische Maxime entgegengestellt; »abge-
sehn von extremer Form, schwer zu beweisen«, notiert der Autor, »aber Reihe von indirekten Gründen, die es stützen«.[28] Ent-
sprechende, nicht zuletzt aus Erfahrungen des Weltkriegs und
seiner Folgen resultierende, Indizien werden denn auch mit
Fleiß zusammengetragen – die alle darauf hindeuten, daß »das
gleiche menschliche Material« einer geradezu unbegrenzten
Reihe von »Ausschreitungen entgegengesetzter Ausdrücke«
fähig ist;[29] die also geeignet sind, jene unendliche Vielfalt phäno-
menaler Differenzen wieder freizugeben, die man vordem in den
vermeintlich autonom produktiven Geschichts-Individuen à la
Staat, Nation oder Rasse sicher aufgehoben wähnen durfte.

Bei weitem wichtiger ist jedoch, zu bestimmen, was es denn ist,
das da differenzierend *von außen* auf den Menschen zukommt,
beziehungsweise welche *Umstände* es eigentlich sind, die derlei
Unterschiede machen und damit kulturellen Sinn, oder doch
dessen Anschein erzeugen. Indizien und Symptome allein können diese Fragen nicht beantworten; um sie zum Sprechen zu
bringen, wird Kulturtheorie benötigt: Musil stellt zunächst einmal klar, daß »die Ursache so verschiedener menschlicher Erscheinungsformen« zwar »von außen kommt, aber man darf das
nicht im Sinn etwa einer Milieutheorie verstehen, wo eine geo-
grafische Schale den in ihr lebenden Menschen formt.« Ganz im

Gegenteil, muß man sagen, denn das *Theorem der Gestaltlosigkeit*
stellt nichts anderes dar als jenes transzendental-anthropologi-
sche Axiom, das einem Konzept von der umfassenden semioti-
schen Plastizität des Wesens Mensch zugrundezulegen ist. Musil
fährt fort:

> »Man wird aber nahe an die Wahrheit herankommen (ein kleiner Rest
> mag Anlage und Erbmasse sein), wenn man als das variativ, die Be-
> sonderheiten Bildende die Gesamtheit der Rückwirkungen ansieht,
> welche der Mensch von dem erfährt, was er selbst geschaffen hat. Das
> klingt unmöglich oder dumm, die Aktivität so zugunsten der Reaktion
> zu eliminieren, aber tatsächlich baun doch die Häuser die Häuser und
> nicht die Menschen; das 100. Haus entsteht weil und wie die 99 Häu-
> ser vor ihm entstanden sind und wenn es eine Neuerung ist, so geht
> diese statt auf ein Haus auf eine literarische Diskussion zurück«.[30]

Schon der kolloquiale Gestus dieser – wie gesagt: in vorliegender
Form nicht zur Publikation gedachten – Notizen macht deutlich,
daß hier Neuland betreten wird; und dies wird umso deutlicher,
wenn Musil die einmal erreichte Klarheit des Gedankens von
einer autopoetischen Selbsrekursivität kultureller Systeme, an
denen Menschen allenfalls als Produzenten von Diskursen, nicht
aber als schöpferische Individuen teilhaben, gleich wieder an
einen »Gemeinplatz« wie den vom »Leitfaden der Tradition« an-
zubinden versucht – einen Faden, von dem jeweils nur »in be-
hutsamer Abbiegung der Richtung« abgewichen werden könne.
Die von ihm selbst versammelten Indizien sprechen gegen diese
Entschärfung des Befundes, und unter Tradition war bis dato jedenfalls anderes verstanden worden als das selbstreferentielle
Funktionieren eines Reproduktionsmechanismus, der jeweils
nur an sich selbst anzuschließen vermag. Es stellt geradezu die
Parodie der gewöhnlich-traditionalistischen Bindungs-Verlust-
Neurose dar, wenn Musil »auch unser Persönlichstes [...] als Abweichung auf das System der Umwelt bezogen« wissen will und
festhält, daß »der Mensch [...] nur in Formen [existiert], die ihm
von außen geliefert werden. ›Er schleift sich an der Welt ab‹, ist
ein viel zu mildes Bild; er preßt sich in ihre Hohlform müßte es
heißen.« So ganz scheint der Autor hier, im Überschwang seiner
Argumentation, der Falle des Determinismus doch nicht entgehen zu können – selbst wenn er glaubhaft versichert hat, man
könne »sich damit beruhigen, daß sich die Kategorie der Kausa-
lität in dieser Fassung« – von *Ursache-Wirkung-Gegenwirkung* –
»auch sonst nicht als geeignet erwiesen« habe.[31]

Vielleicht aus diesem Grund wird der Gedankengang wenig später erneut abgebrochen und in einem weiteren Anlauf die Entwicklung des Theorems noch einmal in Angriff genommen – zunächst in seltsam tentativer, womöglich bereits auf eine eventuelle Publikation hin kalkulierter Weise. Er »persönlich glaube«, so Musil, es lägen »nur wenige Determinanten« im Menschen selbst, und es sei »nicht möglich, sie heute schon befriedigend heraus zu lösen«. Was sich »im Zeitlauf der Geschichte« ändert und »als Unterschied der Zeiten zu Bewußtsein kommt, scheinen also weniger die Menschen zu sein als die unpersönlichsten (oder überpersönlichsten) Produkte ihres gesellschaftlichen Zusammenlebens«; wobei hier zunächst gar nicht klar wird, in welcher Spannweite zwischen Abstraktion und Konkretion Musil den Begriff des *Produktes* anlegt. Tatsächlich sind aber jene »sehr verschiedene[n] Gestaltungen« selbst gemeint, die das Kollektivsubjekt »Menschheit« ebenso nahezu widerstandslos

> »angenommen hat, [...] wie Wasser unter einem Wind nach allen Richtungen beweglich ist. Kleider machen Leute, und solche Leute machen dann wieder solche Kleider, auch kommt ebenso oft die Reihenfolge umgekehrt: es ist ein durchaus unentwirrbares Wechselspiel des Gebens und Wiederempfangens zwischen Mensch und seiner Welt, Wesentlichkeit und Zufall, Drang und Zwang, Ich und Ausdruck, das die verschiedenen charakteristischen Zeitphysiognomien hervorgebracht hat.«[32]

Dies wäre nun die sozusagen interaktionistische, des Determinismus unverdächtige Variante des Modells, die sich dafür dem Schein nach wieder einer dialektischen Fassung des Verlaufs historischer Prozesse annähert. Doch schnell wird klar – und sogar klarer als jemals zuvor –, daß angesichts des Widerspiels von Geben und Nehmen nicht etwa von einem gleichberechtigten Zusammenwirken autonomer Instanzen die Rede sein soll. Musil hat jeglichen Idealismus aufs gründlichste verabschiedet, der Subjekten auferlegt, im ihnen Äußerlichen nur die andere, womöglich gar höhere Version ihrer selbst – das heißt: den wahrhaften und authentischen Produzenten eines weltimmanenten Sinnes – zu erkennen. Nichts von dem, was er ist (denn er ist ja nichts), sondern vielmehr

> »gerade die Ungestalt seiner Anlage nötigt den Menschen, sich in Formen zu passen, Charaktere, Sitten, Moral, Lebensstile und den ganzen Apparat einer Organisation anzunehmen. [...] Die ungeheure Grausamkeit unserer politischen und wirtschaftlichen Organisationsform,

die den Gefühlen des Einzelnen Gewalt antut, ist so unentrinnbar, weil diese Organisation zur gleichen Zeit dem Einzelnen überhaupt erst eine Oberfläche und die Möglichkeit eines Ausdrucks gibt. Denn man kann sagen, der Mensch wird erst durch den Ausdruck, und dieser formt sich in den Formen der Gesellschaft. (Es ist eigentlich eine Symbiose.)«[33]

Wieder steht am Ende der Reflexion ein unangemessenes, hier geradezu falsch zu nennendes Resümee. Denn die *eigentlich* von Musil angezeigte, zwar wechselseitige, aber konstituitv asymmetrische und disjunktive Bedingtheit zwischen Einzelnem und Gesellschaft läßt sich in der biologistischen Metapher der Symbiose eben nicht erfassen; Symbiose kann, zum beiderseitigen Nutzen, nur zwischen zwei Lebensformen statthaben. Die Unterwerfung des Einzelnen durch die ihm vorausgesetzte soziale Gesamtorganisation dagegen produziert ein Drittes: nämlich überhaupt erst die kulturelle Sphäre. Kultur muß demnach radikal als die Bedingung der Möglichkeit irgendeiner Artikulation begriffen werden. Doch ihre *Produkte* (die man gerade nicht mit ›symbolischen Formen‹ eines Zeitgenossen wie Cassirer verwechseln darf) sind reine Negationen. Sie dienen, als kontingente Ergebnisse eines von keinem Richtungssinn gesteuerten Prozesses, allein der Einschränkung des potentiell (Menschen-) Möglichen. Wie wörtlich die früher gebrauchte Metapher der *Hohlform* im Hinblick auf die dabei den *Leuten* abgeforderte Anpassungsleistung zu nehmen ist, wird jetzt deutlich. Denn erst und ausschließlich die *Formen der Gesellschaft* verleihen einem an sich gestaltlosen (aber doch gefühlsbegabten) Wesen gewaltsam jene *Oberfläche*, die es zum Ausdruck fähig und damit zur jeweils aktuellen Verkörperung eines *Menschen* macht.

Eine solche Konzeption ist an diskurs- oder auch systemtheoretische Entwürfe aus jüngerer Zeit leichter anzuschließen als an jene zeitgenössischen Theorien, die für Musil, im Rückblick auf den (ersten) ›cultural turn‹ der Jahrhundertwende, zur Rezeption bereitgestanden hätten. »Die Würde der Notwendigkeit, welche« nicht nur den Historismus, sondern auch die Alternativangebote seiner selbsternannten Überwinder auszeichnet, fehlt ihr in der Tat ganz und gar – eben weil »ihr Gesetz der Weltgeschichte« kein anderes ist »als das Staatsprinzip des ›Fortwurstelns‹ im alten Österreich.«[34] Und man muß sagen, daß Musil selbst dieser radikalen Konsequenz seiner kulturanthropologischen Reflexion so lang wie möglich ausgewichen ist, nur um sie auch an dieser Stelle – und diesmal endgültig – fallen zu lassen. Er war ja, in seiner Kritik an Spengler, durchaus noch von einem kulturellen Intermedium zwischen Subjekt und Objekt – einem *gemeinsamen Regulativ* – ausgegangen, in dessen Ausarbeitung sich der teleologische Optimismus des 19. Jahrhunderts wenigstens in eine modifizierte Form gerichteter Entwicklung sollte hinüberretten lassen. Und es waren wohl vor allem jene vorschnellen Synthesen der berufsmäßigen Kulturkritiker, in denen das aktuelle Tableau der Phänomene niemals anders als auf den Modus ›Verfall‹ hin gelesen wurde, die Musil gezwungen haben, sich zu einer emphatischen Anerkennung der Kontingenz von Kulturzuständen durchzuringen. Solchermaßen *die Problematik der Zivilisation aufwerfend*, formuliert Musil sein *Theorem der Gestaltlosigkeit*, das – so gesehen – just in seiner metahistorisch-axiomatischen Formulierung dem Interesse an einer ins Hier und Jetzt eingreifenden Apologie der Moderne zu verdanken ist. Was Musil jedoch schuldig bleibt, ist die Ausarbeitung und Verhältnisbestimmung jener beiden Zentralkategorien, zu denen er – denn alles folgende ist nurmehr Rekapitulation bereits vertrauter Motive – erst mit dem letzten Satz seines Gedankengangs vorstößt: *Oberfläche* und *Ausdruck*. So viel ist klar: Der an sich gestaltlose ›Mensch‹ hat einem Repräsentationszwang zu gehorchen, der ihn nötigt, sich an ihm äußerliche, machtdurchtränkte, aber höchst diffuse Prozesse der Symbolisierung abzugeben. Erst wenn die durch sie erzeugte, bewegliche Oberfläche von einer Ausdrucks-Bewegung durchquert wird, entstehen sowohl ein ›Inneres‹ – als Effekt von Tiefe –, als auch ein kulturelles ›Außerhalb‹, das sich von Fall zu Fall von diesem Inneren unterscheidet. Das Fortgewurstel von Geben und Nehmen, das unter solchen Bedingungen zustande kommt, könnte wohl (*eigentlich*) nur in einer Kultur-Semiotik der *Produkte (nicht der Produzenten)* aufgeschlüsselt werden, die zugleich eine anthropologisch fundierte Theorie der Kultur als eines prozessualen Zusammenspiels von Gewaltverhältnissen sein müßte. Über die oben zitierten Andeutungen hinaus, dank derer er gleichwohl mit mehr als nur einer Fußnote in der Geschichte der Kulturwissenschaften zu rangieren verdiente, hat uns der Autor leider nichts dergleichen hinterlassen.

III. KULTUR ALS TEXT:
SEINESGLEICHEN GESCHIEHT

Dichtern, die ihren Interpreten durch Ausflüge in ein ihrem an-
gestammten Metier fremdes Terrain zusätzliche Mühen auferle-
gen, wird dies – gutem literaturwissenschaftlichem Brauch entsprechend – regelmäßig dadurch heimgezahlt, daß ihre am anderen Ort gewonnenen Einsichten zu bloßen Metaphern jenes
Eigenen umgedeutet werden, das sie besser hätten meinen sollen. Dichter, ganz gleich, was sie treiben, sind demnach immer
als Poetologen zu behandeln – und es folgt so regelmäßig etwas
Brauchbares aus der Anwendung dieser Vorschrift, daß man fast
vermuten darf, auch bei dieser Art Analogieschluß werde man *in
irgendeinem Sinn immer recht haben.* Folglich hat es erst gar keinen Sinn, zu bestreiten, daß Musils Kultur- in nuce zugleich eine
Dichtungstheorie darstellt: Denn daß zwischen menschlicher
Gestalt- und Ulrichs *Eigenschaftslosigkeit* mehr als nur Wortver-
wandtschaft besteht, scheint auf der Hand zu liegen, und man
geht vielleicht nicht einmal zu weit, wenn man das fehlende
Stück der Musilschen Kulturanalytik im zehn Jahre später er-
scheinenden *Mann ohne Eigenschaften* sucht und der Vermutung
Raum gibt, weiteres zum Thema habe sich (für diesen Autor)
eben nur im essayistischen Diskurs seines Romanfragments sagen lassen; denn immerhin, sogar der vom deutschen Menschen
wesensmäßig durchaus nicht verschiedene Neger erhält dort unter dem Namen Soliman seinen durchaus prominenten Auftritt.
Ganz sicher also gehören Musils kulturtheoretische Anstrengun-
gen zur Vorarbeit am Roman, und ebenso (aber in welchem
Sinn?) kann man das hier konzipierte Wechselspiel zwischen
einer *Autopoetik der Artefakte* und einer *Heteropoetik der Subjekte*
als Modell für die überwältigende Selbstreflexivität der Roman-
textur betrachten.

Mindestens ebenso interessant wie die Suche nach Parallelen ist
jedoch die Frage, was aus den Gedankengängen der frühen
1920er Jahre im Roman ausgespart bleibt und dort keine Entsprechung findet. Des Autors Mahnung eingedenk, daß Erkenntnis nicht nur ein Akt, sondern auch ein Inhalt ist, bleibt so noch
einmal zu überlegen, was hier wie dort am Wort vom *Staatsprinzip des Fortwurstelns* hängt – oder anders: warum es überhaupt
einer quasi-archäologischen Anstrengung bedarf, die Funda-

mente von Musils kulturanthropologischer Wende freizulegen.
Dies kann hier nur im Hinblick auf jenes *83. Kapitel* (MoE 357-
362) geschehen, dessen Überschrift, *Seinesgleichen geschieht
oder warum erfindet man nicht Geschichte?*, unübersehbar pro-
grammatischen Charakter hat (ist doch der *Zweite Teil* des Romans insgesamt mit dem zunächst rätselhaften Lemma *Seinesgleichen geschieht* überschrieben). Wie so manch anderes, enthält auch dieses Kapitel ausschließlich Reflexionen des Romanhelden Ulrich (oder seines Erzählers), in denen – wiederum cha-
rakteristischerweise – eine zuvor im Zwiegespräch aufgeworfene
Problematik vertieft und fortgeführt wird. Im *82. Kapitel* ist es
Clarisse, die ihrem Freund eine Unterhaltung aufdrängt. Der so
Herausgeforderte läßt sich zunächst zögernd, dann doch mit
Leidenschaft auf eine Diskussion der Forderung ein, man solle
auch »verwirklichen, was [einem] geistig ernst ist« (MoE 353);
er gibt seinerseits die Überzeugung kund, »gute Gedanken
[könne] man so wenig verwirklichen wie Musik« (MoE 354),
nimmt aber gleichwohl für sich in Anspruch, einen »aktive[n]
Passivismus« zu vertreten – eine Haltung, die er gleichnisweise
als »das Warten eines Gefangenen auf die Gelegenheit des Aus-
bruchs« (MoE 356) umschreibt. Statt dies näher zu explizieren,
bricht er dann jedoch seine Verlautbarungen im entscheidenden
Moment ab und beläßt es bei einer provozierenden »Gebärde
des Außerordentlichen«: »Man kann nichts tun, weil – aber das
wirst du doch nicht verstehn –«(MoE 357). Im Zuge der Explikation des da Verschwiegenen kehren im Gedankenbericht des Fol-
gekapitels zahlreiche Motive wieder, die aus Musils oben zitierten Essays vertraut sind. Sie sammeln sich insbesondere dort,
wo der dem Leser geläufige Reflexionsstil seltsam nachlässig mit
dem Schema einer thesenhaften Abhandlung überblendet wird.
Warum, fragt sich Ulrich (indem er die Straßenbahn verläßt, um
»den Rest des Weges zu Fuß zurück[zulegen]«), ist Clarisses Forderung nach einem »Geistesjahr« ebenso »unsinnig« wie »Dioti-
mas vaterländische Aktion«?
Es folgen, abschnittweise gesetzt, »Antwort Nummer eins«,
»Nummer zwei«, »Abschweifung Nummer eins«, »Antwort
Nummer drei«, »Abschweifung zwei« und »Abschweifung drei
oder Antwort Nummer vier?«, mitsamt der nachgetragenen (wenig plausiblen) Erläuterung, Ulrich sei »es selbst« gewesen, »der
seinen Antworten und Abschweifungen bisher diese Nummern
gegeben hatte«. Er habe nämlich »dazu bald in ein vorüberglei-

tendes Gesicht gesehn, bald in eine Geschäftsauslage, um die Gedanken nicht ganz von sich fortlaufen zu lassen« (MoE 360f.). Sicher, hier ist jene sozusagen gewöhnliche Ironie im Spiel, mit der der Erzähler des Romans sich als Regisseur der von seinen Figuren veranstalteten Gedankenspiele bemerkbar macht. Eine zweite, gegenläufige Bewegung muß jedoch dem arglosen Leser entgehen: Da wird nämlich, im Gefolge vorgeblicher Antworten und Abschweifungen, eine Art Blütenlese aus dem Konvolut zum *Deutschen Menschen als Symptom* veranstaltet, die von der Integrität des dort Gedachten kaum etwas übrig läßt. In eigentümlicher Verengung des Fragehorizonts geht es nun nicht mehr darum, eine *andere Ansicht* vom Funktionieren kultureller Prozesse zu gewinnen, sondern es ist – ganz negativ – nurmehr darauf abgesehen, die überkommenen Meinungen hinsichtlich der ›Entstehung von Weltgeschichte‹ zu destruieren. Isoliert, ohne argumentative Einbettung stehen (in *Antwort zwei* und *drei*) jene Gedankenexperimente da, die einst dazu dienten, das *Theorem der Gestaltlosigkeit* zu illustrieren. Desto absoluter kommt so zwar, in *Abschweifung zwei*, der Satz daher: »Das Gesetz der Weltgeschichte [...] ist nichts anderes als der Staatsgrundsatz des ›Fortwurstelns‹ im alten Kakanien« (MoE 361); doch stellt er kaum noch mehr dar als ein Bonmot, ähnlich der in *Abschweifung eins* vorgeführten Pointe, Weltgeschichte entstehe nach dem Prinzip der ›Stillen Post‹, also in einem durch entstellte Weitergabe ihres Ursprungssinns induzierten Prozeß fortlaufender Verfälschung.

Was mit alledem umso schärfer ausgespielt wird, ist eine für das gesamte Kapitel charakteristische Verwischung der Übergänge zwischen Geschichte als Geschehen (res gestae) und Geschichte als dem Diskurs der Historiker. Insofern Weltgeschichte Autoren hat, besagt *Antwort Nummer eins*, entsteht sie »wie alle anderen Geschichten. Es fällt den Autoren nichts Neues ein, und sie schreiben einer vom anderen ab.« Jedoch – so *Nummer zwei* – »größtenteils entsteht Geschichte [...] ohne Autoren. Sie entsteht nicht von einem Zentrum her, sondern von der Peripherie. Aus kleinen Ursachen« (MoE 360f.). Diese Denzentrierung des historischen Textes, die Enteignung all jener großen, geschichtsmächtigen Individuen (von Alexander über Caesar bis hin zu Napoleon und Bismarck), die sich die Figurenlehre des Historismus tatsächlich als ›Autoren‹ ihrer Erzählungen gehalten hatte, wirkt auf den ersten Blick spektakulär genug, und so hat sie – in refle-

xiver Wendung auf das Erzählproblem des Romans – die unge-
teilte Aufmerksamkeit vor allem der jüngeren Forschung gefunden. Nicht gesehen (oder allenfalls kritisch vermerkt) worden ist
dabei, daß diese Form der Geschichtskritik dem historischen Relativismus (wie ihn Musil in seinen Essays 1921-1923 mit so viel
Hingabe zu ›überwinden‹ suchte) fast unbeschränkten Spielraum gibt. Dies geschieht darum, weil hier, im Romankapitel,
die zentrale, kulturanthropologisch begründete Reflexionsbewe-
gung ausgespart bleibt, in deren Rahmen allererst die Konstruktion eines alternativen Fortbewegungs-Modus für Geschichte erfolgen könnte. In diesem Sinn war die *Peripherie* in *Das hilflose
Europa* eben nicht nur Negativ des Zentrums, sondern der quali-
fizierte Ort einer optimistischen Perspektivierung von Moderne,
und in diesem Sinn war das *Staatsprinzip des Fortwurstelns* in
Der deutsche Mensch als Symptom nicht nur Medium einer sich
immer weiter verlaufenden Sinnentleerung, sondern primäre
Voraussetzung von Sinnproduktion. Daß gleichwohl diese Verkürzung ihren strategischen Sinn hat, erweist sich an jenem
Punkt, an dem Ulrich (wie schon in der Überschrift annonciert)
der »kleine[n] verrückte[n] Clarisse« recht gibt: »Man sollte Geschichte machen, man müßte sie erfinden [...]; aber warum tut
man es nicht?« (MoE 362).
In der anthropologisch fundierten *Ansicht* der Essays wäre diese
Frage, die – mit der traditionsreichen aristotelischen Unterscheidung fiktionaler und faktualer Diskurse jonglierend – die Aussicht auf einen auktorialen Eingriff in Geschichte sozusagen
durch die Hintertür wieder eröffnet, nicht nur abschlägig zu be-
scheiden, sondern gar nicht mehr sinnvoll zu stellen. Insofern
der Roman also auf eine konsequente Durchführung der anthropologischen Perspektive verzichtet, stellt das ausdruck-erzeu-
gende Wechselspiel von (kultureller) Hohlform und (individuel-
ler) Oberfläche auch nicht das Organisationsprinzip seiner Narration dar. Die *ungeheure Grausamkeit* der sozialen, ökonomischen und politischen Prämissen jeglicher Personalität ist hier
entweder – wo es um Figuren der Parallelaktion geht – satirisch
abgefedert, oder bleibt – im Hinblick auf Ulrich und Agathe – so
lange ironisch dispensiert, bis über das Experiment *anderer Zustand* entschieden ist. Die gleichsam amöbenhafte Existenz des
Romanhelden zwischen allen festschreibbaren Berufen, sozialen
Rollen und metaphysischen Fixierungen bildet diesen Zustand
des Aufschubs ab. Und sie ermöglicht ihm, an diesem Punkt der

Romanhandlung, am Beispiel der Geschichts-Erzeugung mit einem Modell von Kultur als Text zu operieren, wie es in Musils pro domo entwickelten kulturtheoretischen Überlegungen bezeichnenderweise keinen Platz hat.

Daß in der Reichweite des Diskursfeldes *Seinesgleichen geschieht* tatsächlich die Filiationen des Tropus ›Text‹ die regierende Metapher darstellen, demonstriert mit Nachdruck das folgende, *84. Kapitel*, in dem Ulrich – zu Clarisse und Walter zurückgekehrt – im Zusammenhang mit seiner Forderung nach *Abschaffung der Wirklichkeit* allerlei einschlägige Thesen und »Programm[e]« entwickelt: etwa, »Ideengeschichte statt Weltgeschichte zu leben«, weil das »jetzt geltende System [...] der Wirklichkeit [...] einem schlechten Theaterstück« gleiche; oder »daß unser Dasein ganz und gar aus Literatur bestehen sollte!« (MoE 364 f.). Walter entnimmt dem allem »die Andeutung [...], man sollte ungefähr so leben wie man lese« (MoE 368), und in seiner Skepsis spiegelt sich zumindest die Ambivalenz derartig hochfliegender Forderungen. Denn anscheinend hängt doch alles sehr davon ab, welche Lektüre man zum Paradigma solcher Maximen nimmt. Was nur im Modus des *Seinesgleichen* geschieht, ist nämlich auch ein Text-, ein Lese- und Schreibphänomen: »Zum Stattfinden gehört doch auch«, so viel wußte Ulrich kurz zuvor noch selbst, »daß etwas in einem bestimmten Jahr und nicht in einem anderen oder gar nicht stattfindet; und es gehört dazu, daß es selbst stattfindet und nicht am Ende bloß etwas Ähnliches oder seinesgleichen. Gerade das ist es aber, was kein Mensch von der Geschichte behaupten kann, außer er hat es aufgeschrieben, wie es die Zeitungen tun [...]«. Geschichte ist, unmißverständlich: Literatur sein – und wenn es eben »dieses der Geschichte zum Stoff Dienen« ist, »das Ulrich empör[t]« (MoE 360), liegt der Einwand nahe, ihm paßten lediglich, geschmäcklerischerweise, Sujet und Stil des Textes nicht, in dem er mitzuspielen hat, während er doch, beim Wort genommen, wissen müßte, daß es zum *geschrieben* und *gelesen* werden keine Alternative gibt.

Daß er es anders sehen möchte, hat Ulrich jedoch bereits eingangs des *83. Kapitels* kundgetan, wo er mit »eigentümliche[r]« (aber im Grunde doch sehr begreiflicher) »Lust« die auktoriale Instanz schlechthin ins Spiel bringt: »Gott«, so seine vielzitierte Wendung, »meint die Welt keineswegs wörtlich; sie ist ein Bild, eine Analogie, eine Redewendung, deren er sich aus irgendwelchen Gründen bedienen muß, und natürlich immer unzureichend; wir dürfen ihn nicht beim Wort nehmen, wir selbst müssen die Lösung herausbekommen, die er uns aufgibt« (MoE 357f.). Auch hier ist also die Welt als eine Art Buch gedacht – aber eben nicht mehr im Sinne des Historismus und seiner Geschichtsphilosophie (incl. Hegel) als der große Bildungsroman des historischen Monumental-Individuums, sondern nurmehr als die hypertrophe rhetorische Figuration eines Textes, in dem kein Wort literal (bzw.: faktual) zu nehmen ist. Ist also alles Vergängliche, zum wiederholten Male, nurmehr ein Gleichnis?[35] Ulrichs anschließende Erwägung verleiht der Textur des hier gemeinten Schöpfungsbuches zum Glück deutlichere Kontur, indem sie eine Analogie zwischen dem Verlauf von Geschichte als eines »breite[n], ungeregelte[n] Fluss[es] von Zuständen« und dem mathematischen Verfahren einer approximativen Lösung an sich unlösbarer Aufgaben herstellt: »Was man ein Zeitalter nennt [...], würde dann ungefähr ebensoviel bedeuten wie ein planloses Nacheinander von ungenügenden und einzeln genommen falschen Lösungsversuchen, aus denen, erst wenn die Menschheit sie zusammenzufassen verstünde, die richtige und totale Lösung hervorgehen könnte« (MoE 357f.). Dieses Gleichnis im Gleichnis leistet ein mehrfaches: Zunächst wird einem magischen Verständnis der Gleichnis-Metapher der Boden entzogen (man darf nicht hoffen, irgendwann das ›Zauberwort‹ zu treffen, das den Sinn der Schöpfung im Nu aufschließt). Zugleich wird – indem das *Rätsel* für an sich unlösbar erklärt wird – *Welt* wieder in Form von *Geschichte* prozessualisiert und damit ein naiver Schritt hinter den Historismus zurück vermieden. Schließlich aber bleibt dem so restituierten Geschichtsverlauf nurmehr das Sich-Verlaufen, da er weder ein Telos kennt, noch den Zusammenhang einer konsistenten Narration annimmt. Weltgeschichte, darf man folgern, stellt keine allegorische ›metaphora continua‹ dar, sondern eine asyndetische Reihe von Katachresen, die jeweils nicht aneinander anzuschließen vermögen. In der Setzung eines zentralen Bewußtseins – sei es das Gottes, sei es das des Kollektivsubjekts Menschheit –, welches dieser anarchischen Agglomeration simultan ansichtig werden und eine Ordnung in ihr herstellen könnte, klingen zwar die Prämissen idealistischen Geschichtsdenkens noch nach; es artikuliert sich in ihr jedoch lediglich die heuristisch notwendige Fiktion, die benötigt wird, um überhaupt die Einheit des radikal

Heterogenen – das Gleichnis als Rätseltext – noch denken zu
können.

Wiederum also gilt: Kultur wird Text, wo auf Kulturtheorie verzichtet wird. Der Autor-*Gott* bzw. die *Menschheit*, die sich selbst
ergreift, steht in der Figurenlehre des *Seinesgleichen geschieht* an
eben der Stelle, an der in Musils früheren Überlegungen das
Theorem der menschlichen Gestaltlosigkeit vermittelnd eingetre-
ten war. Deswegen erscheint, obwohl der Kulturtheoretiker Musil längst zu einer funktional-integrativen, gleichsam system-
theoretischen Perspektive vorgestoßen war, die Konzeption zentraler Kategorien wie ›Welt‹, ›Wirklichkeit‹, ›Geschichte‹,
›Schöpfung‹ etc. im *Mann ohne Eigenschaften* dualistisch, ideali-
stisch, mitunter geradezu manichäisch oder gnostisch. Das
Staatsprinzip des Fortwurstelns scheint hier als Gesetz nurmehr
für jene Welt der schlecht erfundenen Geschichte(n) zu gelten,
die es im *anderen Zustand* hinter sich zu lassen gilt. Daß diese
Lesart des Romans, wiewohl gängig, schlicht falsch ist, weil sie
die durchgängig funktionelle, darstellungstechnische Bedingtheit der Alternative zwischen dem *Einen* und *Anderen* verkennt,
kann an dieser Stelle nur behauptet, nicht erwiesen werden.
Kaum mehr gewagt erscheint nun jedoch die These, Musils Roman müsse sich zwar – damit er, als dieser Roman,[36] erzählt werden kann – auf das selbstreflexive Spiegelspiel des Kreuz- und
Quer-Verweisens einlassen. Er habe aber an ihm nicht sein Telos
und sei gerade von daher nur gleichnisweise zu verstehen.

IV. ›CULTURAL TURN‹ (EINST UND JETZT)

»Man wende nicht ein, die Engländer haben es nicht nötig den
englischen Menschen zu suchen und die Franzosen den Franzosen: daß wir es nötig haben, ist ein Vorsprung«,[37] schreibt Musil
im Hinblick auf die vergeblichen Versuche seiner Zeitgenossen,
den *deutschen Menschen* zu finden. Nicht zufällig erinnert diese
Notiz an die dialektische Parole des jungen Friedrich Schlegel:
»Unsere Mängel selbst sind unsere Hoffnungen«;[38] seit jeher setzen die schärfsten Kritiker der Moderne auf die Verheißung,
eben weil sie so tief im Morast stecke, werde sich die Jetztzeit
nur umso gewisser am eigenen Schopf wieder herausziehen. Die
sachliche Differenz zwischen beiden Verlautbarungen liegt freilich darin, daß der Frühromantiker – noch vor Beginn des eigentlich historistischen Jahrhunderts – seinen Zeitgenossen, zur

Überwindung der modernen ›Krisis‹, Geschichtsphilosophie als Heilmittel verschreiben konnte, während Musil – nach Ende einer Epoche ›großer Erzählungen‹ – Enthaltsamkeit im Historischen und ersatzweise Anwendung kulturanthropologischer Reflexionsinstrumente verordnen muß. Diese antihistoristische Stoßrichtung hat Musil mit den kulturalistischen Strömungen des frühen 20. Jahrhunderts insgesamt gemein; doch weil seine Theorie der Kultur im Kern als Theorie der Moderne konzipiert ist, entgeht er (ähnlich wie die durchaus analog operierenden Vertreter einer Kulturwissenschaft avant la lettre: Weber und Simmel) geradezu mit Selbstverständlichkeit der Versuchung, sich in ein jenseits des Historischen gelegenes Residuum unbeschädigten Sinns zu retten.

Eine Neubewertung der Wissenschaftsgeschichte wird sich aus unseren in diesem Zusammenhang gemachten Beobachtungen wohl kaum ergeben. Als sehr viel gewichtiger stellt sich denn auch die Frage dar, ob und welche historischen beziehungsweise systematischen Folgerungen eine kulturwissenschaftlich oder anthropologisch (re-)orientierte Literaturwissenschaft aus dem hier sichtbar gewordenen Konnex von Klassischer Moderne und ›Cultural Turn‹ zu ziehen hätte. Dabei wiederum kommt es entscheidend darauf an, wie man mit der Paradoxie verfährt, die aus Musils scheinbar nur punktueller Funktionalisierung der Kulturanthropologie entspringt. Hier eine Antwort zu geben, scheint umso dringlicher, als die Erforschung der literarischen Moderne bislang wenig vom aktuell vielfach proklamierten, anthropologisch-kulturalistischen Paradigmenwechsel in den Textwissenschaften profitiert hat. Man könnte anders beinahe den Eindruck gewinnen, Texturen der Moderne entzögen sich prinzipiell einem entsprechenden Zugriff. Zwar wird von interessierter Seite immerhin rühmend hervorgehoben, wie in Texten der historischen Avantgarde »modernistische Ambivalenzen der Weltsituation, der Geschlechterbeziehungen und der Kunst selbst [...] in einer liminalitätsbewußten Repräsentationsform zum Ausdruck« gebracht werden. Doch von der – noch so plakativ gefaßt: modernen – »Ästhetik des Schweigens, der Brüche, der Widersprüche und Diskontinuitäten auf der Ebene des Textes«[39] fühlt man sich am Ende doch wohl weniger beglückt als vielmehr irritiert, wo es um eine möglichst widerstandslose Eingemeindung des literarischen Textes ins Feld der Kultur und zugleich um die generalisierende Umschrift von Kultur in ein Textphänomen geht;[40] repräsentationskritisch veranlagt ist man heutzutage schließlich von Haus aus, und an Brüchen, Widersprüchen oder barer Unverständlichkeit hat man in Sachen Kultur nicht viel zu beißen.

In einem derart naiven Blick auf das, was in der Klassischen Moderne Sache ist, spiegeln sich freilich auch – zur Kenntlichkeit entstellt – die Aporien einer zwar überaus reflektierten, aber dennoch seltsam betriebsblinden philologischen Praxis. Die literaturwissenschaftliche Moderne-Diskussion, sofern es ihr überhaupt um Beschreibung und Analyse jenes Modus von Textualität zu tun ist, der einschlägige Texte ›schwierig‹ macht, setzt seit Adorno so notorisch auf das semantische Potential der *Form*, als hätte sie es nicht auch mit Inhalten zu tun. Diese mögen freilich nicht so leicht zu denotieren sein wie die *Histoire* auf realistischen Effekt angelegter Textgebilde. Gleichwohl liegt dort ein Mißverständnis vor, wo angesichts der fortgeschrittenen Selbstreflexivität moderner Texturen der Schluß gezogen wird, die kulturelle Dimension literarischer Modernität könne generell vernachlässigt werden. Die aktuelle Forschungs-Aufgabe besteht vielmehr darin, jenen eigentümlichen Modus von Kulturalität herauszuarbeiten, der sich im sog. repräsentationskritischen Textbestand der Klassischen Moderne artikuliert.

Vorsprung durch Technik? Gewiß. Die Literatur der Klassischen Moderne stellt ja nicht umsonst eine selbstreflexive semiotische Praxis dar; eben darum hat man seit jeher mit gutem Grund vorzüglich ihren *Discours* und dessen Verfahren untersucht, sich dabei aber allzu oft mit Auskunft von der radikalen Selbstbezüglichkeit des modernen Textes zufriedengegeben – als sei das damit eröffnete semiotische Spiel ausschließlich Medium der Rede und des Schreibens und nicht, im selben Zug, auch Medium eines Darstellens, Aussagens und, von Fall zu Fall, eines Erzählens. Erst aus dem Widerspiel zwischen radikaler Selbstbezüglichkeit und einer entsprechend modifizierten Repräsentationsweise ergibt sich jedoch jener Zug, den man das kulturalistische Selbstbewußtsein der literarischen Moderne nennen kann: ein Gegenstandsbewußtsein, in dem das literarisch Darstellbare nicht naiv als Ding oder Verhältnis von Dingen, sondern als Produkt kultureller Prozesse, wenn nicht überhaupt als Prozeß begriffen wird. So verstanden, zeigt sich vollends, daß der Begriff vom literarischen Text hier nicht etwa verengt, sondern auf doppelte Weise geöffnet wird: Der Text der Klassischen Moderne[41] stellt sich selbst als Schauplatz einer unabschließbaren Semiose dar und entwirft zugleich – aus Wörtern, Begriffen und Diskurselementen – ein semiotisches Universum mit analoger Struktur: Seinesgleichen geschieht.

Es hieße dennoch ins andere Extrem verfallen, wollte man – wie es nicht selten, meist unter Rückgriff auf Paratexte der Autoren oder ihrer Zeitgenossen, geschieht – den Text der Klassischen Moderne unmittelbar zum Ort kulturwissenschaftlicher Theoriearbeit ernennen. Das wäre auf seine Weise nicht weniger vorschnell als die gutgläubige Identifikation kultureller Praxis mit ihren textuellen Repräsentationen unter dem Notdach der Metapher ›Kultur als Text‹. Nicht zuletzt dies ist am Beispiel Musil zu lernen: Daß (moderne) Kultur, ihre theoretische Durchdringung und ihre Darstellung in einem fiktionalen Text sich unterscheiden müssen, statt ineinander aufzugehen. Unendliche Semiose als Produktionsmodus von Kultur ist von der unendlichen Semiose in Literatur schon dadurch unterschieden, daß diese sich banalerweise in Texten (reproduzierbaren Zeichenfolgen von fester Ordnung und endlicher Länge) materialisieren muß – Texte hören auf, Kultur geht weiter. Gerade weil Kultur- und Textwissenschaften ihr Gegenstandsbereich zu Teilen gemeinsam ist, kann ein produktives Gespräch zwischen den Disziplinen nur zustandekommen, wenn an der methodischen Differenz zwischen kultur- und textwissenschaftlicher Lektüretechnik festgehalten wird. Die Auseinandersetzung mit der kulturellen Dimension moderner Texte hat ihren Wert schon darin, daß sie zwingt, diese Differenz in aller Schärfe systematisch zu explizieren.

Was Musil betrifft, so wird an der signifikanten Abweichung zwischen kulturanthropologischer Selbstverständigung des Autors und literarischer Praxis eines scheinbar so durch und durch theoriehaltigen Romans, wie ihn der *Mann ohne Eigenschaften* darstellt, noch einmal deutlich, daß der kulturtheoretische Diskurs gerade nicht zum poetologischen Rezeptbuch taugt, und daß – was womöglich noch bedeutsamer ist – aus einem unter poetologischen Prämissen erzeugten Textgebilde nicht ohne weiteres die theoretischen Paradigmen einer auktorial-kulturalistischen Weltsicht abgezogen werden dürfen. Diese Feststellung schließt nicht aus, sondern macht sogar wahrscheinlich, daß der

Roman, verglichen mit den letztlich doch nur kursorischen Er-
wägungen der Essays, am Ende die fundamentaleren Einsichten
auch zur Problematik moderner Kultur enthält: Aber wenn dem
so ist, dann enthält er sie ganz gewiß in einer medialisierten
Form, die den Bedingungen des im – wie immer essayistischen –
Roman Darstellbaren unterworfen bleibt. Über den *Mann ohne
Eigenschaften* als Kulturprodukt der Moderne wird erst dann etwas Sinnvolles gesagt sein, wenn die selbstreflexiv verspiegelte
Oberfläche des Romans mitsamt dem scheinbaren Dualismus
des *Einen* und *Anderen* nicht als das letzte Wort, sondern als die
Bedingung der Möglichkeit eines spezifischen literarischen *Aus-
drucks*-Experiments wahrgenommen wird. Von einer solchen
Korrektur ihres Blickwinkels ist die Literaturwissenschaft –
nicht allein im Hinblick auf Musil – noch weit genug entfernt.
Jegliche kulturwissenschaftliche Einrede kann ihr nur hilfreich
sein. Daß sie dergleichen, derzeit, nötig hat, könnte sich immerhin in nicht allzu ferner Zukunft als ihr Vorsprung erweisen.

ANMERKUNGEN

[1] Robert Musil, Der Mann ohne Eigenschaften, hg. v. Adolf Frisé, Neu durchgesehene und verbesserte Auflage, 2 Bde. Reinbek bei Hamburg 1981, S. 357
(im folgenden unter der Sigle ›MoE‹ abgekürzt im Text zitiert). An für den
hier verfolgten Zusammenhang einschlägigen Forschungsarbeiten seien exemplarisch genannt: Wolfdietrich Rasch, ›Der Mann ohne Eigenschaften‹
(1963/67), in: Robert Musil, hg. v. Renate von Heydebrand, Darmstadt 1982,
S. 54-119; Marie-Louise Roth, Ethik und Ästhetik, München 1972; Hans-Ge-
org Pott, Robert Musil, München 1984; Marike Finlay, The Potential of Modern Discourse. Musil, Peirce and Perturbation, Bloomington 1990; Phillan
Joung, Passion der Indifferenz. Essayismus und essayistisches Verfahren in
Robert Musils ›Der Mann ohne Eigenschaften‹, Münster 1997.
[2] Die Formel verdankt sich Eduard Graf von Taaffe, der 1879-1893 das Amt
des österreichischen Ministerpräsidenten bekleidete; vgl. Helmut Arntzen,
Musilkommentar zu dem Roman »Der Mann ohne Eigenschaften«, München 1982, S. 202.
[3] Robert Musil, Der deutsche Mensch als Symptom, in: Gesammelte Werke
II: Prosa und Stücke etc., hg. v. Adolf Frisé, Reinbek bei Hamburg 1978, S.
1353-1400, hier S. 1374.
[4] Robert Musil, Der deutsche Mensch als Symptom, S. 1374.
[5] Robert Musil, Geist und Erfahrung. Anmerkungen für Leser, welche dem
Untergang des Abendlandes entronnen sind, in: Gesammelte Werke II, S.
1042-1059, hier: S. 1044.
[6] Robert Musil, Geist und Erfahrung, S. 1043.
[7] Robert Musil, Geist und Erfahrung, S. 1045 f. (Zitate umgestellt).

[8] Robert Musil, Geist und Erfahrung, S. 1055.

[9] Robert Musil, Geist und Erfahrung, S. 1050 (vgl. 1049-1051).

[10] Robert Musil, Geist und Erfahrung, S. 1059.

[11] Robert Musil, Das hilflose Europa oder Reise vom Hundertsten ins Tausendste, in: Gesammelte Werke II, S. 1075-1094, hier S. 1075 f. (Zitate umgestellt).

[12] Robert Musil, Das hilflose Europa, S. 1077 (Zitate umgestellt).

[13] Robert Musil, Das hilflose Europa, S. 1078.

[14] Robert Musil, Das hilflose Europa, S. 1079.

[15] Vgl. Jörn Rüsen, Konfigurationen des Historismus. Studien zur deutschen Wissenschaftskultur, Frankfurt 1993; Daniel Fulda, Wissenschaft aus Kunst. Die Entstehung der modernen deutschen Geschichtsschreibung; Christoph Brecht, »Die Muse der Geschichtsklitterung«. Historismus und Realismus im historischen Roman, in: Germanic Review 73 (1998), S. 203-219.

[16] Vgl. auch: Robert Musil, Das hilflose Europa, Abschnitt 14, S. 1086 f. Im Ansatz erkannt, aber in ihrem Gewicht unterschätzt hat diese Denkbewegung Frank Maier-Solgk, Sinn für Geschichte. Ästhetische Reflexivität und historiologische Reflexion bei Robert Musil, München 1992, S. 200-202; vgl. insgesamt S. 187-208.

[17] Robert Musil, Der deutsche Mensch als Symbol, S. 1364.

[18] Robert Musil, Das hilflose Europa, S. 1081.

[19] Robert Musil, Das hilflose Europa, S. 1082.

[20] Robert Musil, Der deutsche Mensch als Symbol, S. 1353.

[21] Robert Musil, Der deutsche Mensch als Symbol, S. 1355.

[22] Vgl. Moritz Baßler, Christoph Brecht, Dirk Niefanger, Gotthart Wunberg, Historismus und literarische Moderne, Tübingen 1996; noch immer aufschlußreich: Lothar Köhn, Überwindung des Historismus. Zu Problemen einer Geschichte der deutschen Literatur zwischen 1918 und 1933, in: DVjs 48 (1974), S. 704-766; DVjs 49 (1975), S. 94-165.

[23] Robert Musil, Der deutsche Mensch als Symbol, S. 1356.

[24] Robert Musil, Der deutsche Mensch als Symbol, S. 1363.

[25] Robert Musil, Der deutsche Mensch als Symbol, S. 1361 (Zitat umgestellt).

[26] Robert Musil, Der deutsche Mensch als Symbol, S. 1364 f.

[27] Robert Musil, Der deutsche Mensch als Symbol, S. 1366.

[28] Robert Musil, Der deutsche Mensch als Symbol, S. 1368.

[29] Robert Musil, Der deutsche Mensch als Symbol, S. 1369 (Zitat umgestellt).

[30] Robert Musil, Der deutsche Mensch als Symbol, S. 1369.

[31] Robert Musil, Der deutsche Mensch als Symbol, S. 1369 f. (Zitate umgestellt).

[32] Robert Musil, Der deutsche Mensch als Symbol, S. 1373 f.

[33] Robert Musil, Der deutsche Mensch als Symbol, S. 1374.

[34] Robert Musil, Der deutsche Mensch als Symbol, S. 1374.

[35] Vgl. Johann Wolfgang Goethe, Faust II, Vers 12104 f.

[36] Zum Unterschied von Erzählexperimenten wie etwa den »Vereinigungen«, in denen Musil schon 1911 eine Psycho-Textur von geradezu osmotischer ›Oberflächlichkeit‹ erzeugt hatte.

[37] Robert Musil, Der deutsche Mensch als Symbol, S. 1361.

[38] Friedrich Schlegel, Jugendschriften, hg. v. Jakob Minor, Bd. 1, Wien 1906², S. 22.

[39] So, in einem synekdochischen Verweis auf Virginia Woolf, Doris Bach-mann-Medick (Hg.), Kultur als Text. Die anthropologische Wende in der Li-teraturwissenschaft, Frankfurt 1996, Einleitung, S. 7-64, hier S. 29.

[40] Vgl. Doris Bachmann-Medick, Kultur als Text, Einleitung, S. 10 passim. Höchst bedenkenswert die von seiten der Anthropologie mit kritischer Schärfe vorgetragenen Einwände gegen diese Entdifferenzierung bei Renate Schlesier, Kultur-Interpretation. Gebrauch und Mißbrauch der Hermeneutik heute, in: The Contemporary Study of Culture, hg. v. Bundesministerium für Wissenschaft und Verkehr und Internationales Forschungszentrum Kultur-wissenschaften, Wien 1999, S. 157-166.

[41] Die abgekürzte Rede vom ›Text der Klassischen Moderne‹ stellt, zugegebe-nermaßen, eine Allgemeinheit der Sorte ›Weltgeschichte‹ oder ›Menschheit‹ dar; sie wird hier nur in heuristischer Absicht verwendet, um ein Feld von Fragen, nicht von Antworten zu bezeichnen. Daß der ›Mann ohne Eigen-schaften‹, beispielsweise, mit den von Musil höchst freudlos betrachteten Emanationen des literarischen Expressionismus irgendetwas gemein hat, läßt sich nur mit guten Gründen behaupten, niemals beweisen; denn selbst-verständlich fällt auch die literaturwissenschaftliche Begriffsbildung ins Ge-biet der ›ungesetzlichen Notwendigkeit‹.

Vom »alternativen Gebrauch der Geschichte« in der aktuellen amerikanischen Sozialanthropologie nach dem *reflexive turn*

JOHN BORNEMAN

In welchen Disziplinen vollzieht sich der Wandel zur »Kultur« und was bedeutet dort *cultural turn?* In den USA setzte die Hinwendung zur »Kultur« als Objekt um die Mitte der achtziger Jahre auf dem Gebiet der Literatur ein, zehn Jahre später in den Politikwissenschaften – zwei Bereiche, die nur wenig Berührungspunkte besitzen. Die Literaturwissenschaft setzte das Objekt Kultur an die Stelle der »Literatur«, deren Auflösung als eigenständiges Forschungsgebiet sie gerade aktiv betrieb; sie machte die Kultur zum Gegenstand der kritischen Auseinandersetzung und bediente sich dabei häufig des aus Frankreich übernommenen philosophischen Apparats. Die Politikwissenschaften führten die Kultur als unabhängige Variable ein, als Kausalfaktor zur Erklärung von Ereignissen, die sich nicht auf materielle Bedingungen oder Interessen reduzieren ließen. Gerade zu gleicher Zeit setzte jedoch innerhalb der amerikanischen Sozialanthropologie, die am meisten zur Etablierung der Kultur als akademisches Forschungsobjekt geleistet hatte, eine Abkehr davon ein.

Ich will im weiteren bei meinem eigenen Forschungsgebiet, der Anthropologie, bleiben und mich auf zwei ethnographische Arbeiten konzentrieren, die wieder den Analytiker dem Objekt »Kultur« zur Seite stellen. John Pembertons *On The Subject of Java* (1994) und Stefania Pandolfs *Impasse of the Angels: Scenes from a Moroccan Space of Memory* (1997). Beide Forschungsarbeiten zielen darauf ab, ein neues Bild von Indonesien beziehungsweise Marokko zu zeichnen – Länder, die durch die Arbeiten von Clifford Geertz zu bekannten anthropologischen Objekten geworden sind. Diese Monographien unterscheiden sich von

Studien aus dem Umfeld der soziokulturellen Anthropologie, wie sie eine Generation von US-amerikanischen, britischen und französischen Anthropologen prägte, die in den sechziger und siebziger Jahren hervortraten (z. B. Jack Goody, Ernst Gellner, Maurice Godelier, Louis Dumont, Marshall Sahlins, David Schneider); und sie unterscheiden sich auch von dem wohl meistpublizierten Projekt der Nachfolgegeneration, das fast über all unter dem Begriff der »*writing culture group*« bekannt ist (z. B. George Marcus und Jim Clifford, in jüngerer Zeit Lila Abu-Lughod).

Weder Pemberton noch Pandolfo studierten bei Geertz, der keine Studenten mehr betreute, nachdem er die University of Chicago verlassen hatte und an das Institute for Advanced Studies in Princeton gegangen war.[1] Pemberton studierte bei James Siegel und Benedict Anderson an der Cornell University, Pandolfo in Princeton bei Hildred Geertz, Clifford Geertz' erster Frau und Partnerin bei seinen Indonesien- und Marokko-Forschungen; prägend für Pandolfo waren allerdings andere Einflüsse, auf die ich im weiteren eingehen will.

Clifford Geertz, dessen aktive Zeit als Forscher und Autor sich von den fünziger Jahren bis in die achtziger Jahre erstreckte, entwickelte die symbolische beziehungsweise von Max Weber beeinflußte »interpretative Ethnologie«. Dabei ging es ihm um die Verteidigung eines Kulturrelativismus, der sich über Clyde Kluckhohn, seinen Lehrer in Harvard (gemeinsam mit Talcott Parsons), und weiter über Ruth Benedict und Franz Boas zurückverfolgen läßt. Geertz' Forschungsansatz lehnte biologistische und szientistische Erklärungsmodelle (die Vorstellung von identifizierbaren, festgelegten und standardisierten Kulturmerkmalen) ebenso entschieden ab wie den komparativen Globalismus eines Sir James Frazer oder vieler britischer Anthropologen der Nachkriegszeit, die primär an dem Sinn von Allgemeinphänomenen interessiert waren. Pemberton und Pandolfo übernehmen nun einfach Geertz' kritische Haltung gegenüber dem biologischen Reduktionismus, Szientismus und dem britischen Empirismus; dafür treten sie in einen Kampf gegen seinen Schatten, besonders gegen die Art, wie er die Kultur in Beziehung zur Geschichte setzt.

Mit *On the Subject of »Java«*, Java stets in Anführungszeichen, unternimmt Pemberton eine von Foucault inspirierte genealogische Studie. Er will sowohl aufzeigen, wie »Java« zum historischen Subjekt (Objekt, das es zu erforschen, über das es zu berichten gilt, das es politisch anzuerkennen gilt) wird, als auch wie in Suhartos *New Order*-Regime »javanische« Subjekte/Objekte geschaffen werden. In *Impasse of the Angels* beschäftigt sich Pandolfo weniger mit marokkanischen Subjekten/Objekten, als mit den Blockaden und Rissen der Erinnerung und mit der Arbeit des Gedächtnisses, so wie es die Geschichte im marokkanischen Raum entfaltet. Pandolfo beruft sich stark auf Benjamins Begriffe von Vergänglichkeit und Verlust sowie auf Michel de Certaus Erforschung des Raumes. Aus ihren persönlichen Begegnungen mit marokkanischen Dorfbewohnern heraus unternimmt sie den Versuch zu beschreiben, wie sie einander wechselseitig als diskursive Subjekte begründen. Sowohl Pemberton als auch Pandolfo befassen sich mit Begegnungen an den Schnittstellen des sogenannten »Postokolonialismus«. Pemberton ist jedoch eher daran interessiert, mittels der Hintergründe dieser Begegnungen die Auslöschung von Gedächtnis und Geschichte in Java zu hinterfragen, während sich Pandolfo darauf konzentriert, wie die Marokkaner heute ihre Identität eher über die subjektive Erinnerung herstellen, als über ihr Verhältnis zur Politik oder Geschichte, die historische Gedächtnisse unterdrücken.

ON THE SUBJECT OF »JAVA«

Als John Pemberton im Jahr 1983 nach Solo auf die Insel Java kommt, steht Suhartos »New Order«-Regime gerade im Zenit. Er beschreibt diese »neue Ordnung« – die im folgenden Jahr in einer Art nicht-revolutionärer Revolution zusammenbrach – als auf etwas nicht Vorhandenem begründete. Ziel der Regierung sei es gewesen, den Anschein zu erwecken, daß nichts geschieht, und daß dieses Fehlen jeglichen Geschehens eine historische Konstante, eine »kulturelle Tradition« ist, die von der Regierung lediglich den offiziellen Stempel erhielt. In diesem Sinn deckt sich die Absicht des Regimes mit der Bestrebung zahlreicher Anthropologen, die für ihre Feldforschung Orte aufsuchen, an denen sich nichts verändert, die den Anschein von Zeitlosigkeit, von unwandelbarer Vergangenheit erwecken.
Hier betritt nun der Geist – des nie direkt angegriffenen – Clifford Geertz die Bühne. In den fünfziger Jahren, vor dem Machtantritt Suhartos, hatte Geertz, der innerhalb eines kulturalisti-

schen Paradigmas arbeitete, »*slamet*«[2] als javanischen Schlüsselbegriff festgeschrieben und folgendermaßen definiert: »da gibt es nichts« oder »nichts wird (irgendwem) geschehen« (zit. n. Pemberton, S. 14). Geertz führt weiter aus: »*Slametan* bedeutet eine Bestätigung und Bestärkung der allgemeinen kulturellen Ordnung und ihrer Macht, die Kräfte der Unordnung in Schach zu halten. In abgeschwächter Form legt es die Werte der traditionellen javanischen Bauernkultur dar: die gegenseitige Anpassung des wechselseitig voneinander abhängigen Willens zweier Parteien, die Zurückhaltung von Gefühlsausdrücken und die sorgfältige Regulation des äußerlichen Verhaltens.« (S. 14) Pemberton bezweifelt, ob man den »*slametan*-Zustand« zum Ausdruck einer allgemeinen kulturellen Ordnung erheben sollte, wie Geertz es tat. Seiner Ansicht nach bestätigt der Begriff des *slametan* vielmehr das Modell einer politische Ordnung im Namen der Kultur (S. 15). Anders ausgedrückt, der Schlüssel zur politischen Ordnung Javas – und noch deutlicher zu jener des *New Order*, jenem politischen Regime, das kurz nach Geertz' erster Studie an die Macht kommt – liegt in der Produktion von *slametan*: des Effekts einer unveränderlichen traditionellen Kultur, in der sich nichts ereignet. An den Beginn seines Buches stellt Pemberton eine kurze Analyse der Wahl von 1982. Suharto war durch das Massaker einer halben bis einer Million Menschen und die Verhaftung Tausender an die Macht gelangt – ein Umstand, den Geertz in seinem Buch *Negara* in einer Fußnote streift. Nach Suhartos Machtergreifung im Jahr 1966 gab es in Indonesien, wie kaum anders zu erwarten, so gut wie keine Opposition. Abgesehen von ein paar wesentlichen Ausnahmen, über die in Zeitungen oder in der Forschungsliteratur wenig zu lesen war, erweckte Suhartos Regime den Eindruck von Ordnung, es erschien tatsächlich als *slametan*-Staat. Auf welche Weise war das der Regierung gelungen?

Die Regierungspartei wurde »Funktionärsgruppe« genannt, während man die zwei offiziellen Quasi-Oppositionsparteien als »politische Parteien« bezeichnete. Somit wurde laut Pemberton die Stimmabgabe für die Regierungspartei als unpolitischer Akt betrachtet, trug sie doch dazu bei, daß nichts geschieht, und vermied die Verflechtung mit der Politik. Doch bei aller scheinbaren Stabilität und Sicherheit machten sich in Wahlzeiten unter dem Volk und in der Regierung Angst und Nervosität breit. Man

fürchtete das Auftreten von Menschenmassen und Zusehern sowie die mögliche Zersetzung der Sicherheit durch diese Art Mo-
bilisierung – etwas könnte geschehen (was natürlich das Wesen
einer Wahlveranstaltung ist: die Menschen zu mobilisieren, damit etwas geschehen kann). Angesichts dieser paradoxen Situation erklärte es die Regierung zu ihrem Ziel, die Wahlen zu
»*mensukseskan*« – ihnen zum »*sukses*« (vom englischen *success*
abgeleitet) zum Erfolg zu verhelfen, wörtlich »einen bereits er-
zielten Sieg sicherstellen« (S. 5). Um den obligatorischen *sukses*
zu produzieren mußte also die Regierung absurderweise in
Wahlveranstaltungen die Massen mobilisieren und gleichzeitig
sicherstellen, daß sich dabei nichts bewegte und nichts geschah.
Pembertons Auftauchen in Java an sich bedeutete bereits eine
hinreichende Gefährdung des *slametan*, daher verweigerte ihm
die Regierung die Erlaubnis, jegliches die Kultur betreffendes
Gebiet zu erforschen, wo etwas Unvorhergesehenes geschehen
könnte. Somit blieb Pemberton viel freie Zeit und er wandte sich
anfänglich dem Wahlvorgang zu; er konzentrierte sich auf den
rituellen Aspekt dieses Prozesses als Ritual im nationalen Lebenszyklus, wo die Dinge vorhersehbarer waren. Nach den
Wahlen schienen sich laut Pemberton die Javaner gerne wieder
dem »normalen Leben« zuzuwenden, »jenem klar dem *New Order* entsprechenden slametan-Zustand einer idealisierten Ab-
senz, in der nichts [...] zu geschehen scheint.« (S. 7) Kurz gesagt,
dieses *mensuksesan* basiert auf dem alltäglichen Sinn für ge-
wohnheitsmäßige Ordnung und Stabilität, auf dem richtigen
Funktionieren von Ritual und Tradition, auf der Handhabung
der Kultur. *On the Subject of »Java«* untersucht, wie dieser »Kul-
tureffekt« erzielt wird: analysiert wird sowohl die Inszenierung
der Tradition als auch das, was diese gefährdet, was als Tradition
nicht erkennbar ist, was über diese hinausgehen und die diskursiven Grenzen der »javanischen Kultur« überschreiten könnte.
Die erste Hälfte des Buches verfolgt die Spuren der javanischen
Subjektivierung des Subjekts mittels Archivtexten und *oral history*, die zweite Hälfte ist ethnographischer Natur. Pembertons
Intention jedoch ist auf die Gegenwart gerichtet: es geht darum,
die »neue Ordnung« des Suharto-Regimes zu beleuchten, eines
Regimes, das in obsessiver Weise nach kultureller und physi-
scher Sicherheit strebt. In der ersten Hälfte des Buches untersucht Pemberton die historischen Wurzeln und mythischen Be-
rufungen auf die »Tradition« in der Praxis des »Rituals«, auf

dem die Herrschaft begründet ist, und er kommt zu dem Schluß, daß der Schlüssel zu dieser Macht in der Verschmelzung der politischen oder staatlichen Macht mit der kulturellen oder privaten Macht liegt. In *Negara* hatte Geertz zuvor diese politische Form als »Theaterstaat« bezeichnet, in dem sich die westliche Vorstellung, daß Zeremoniell und Prunkentfaltung der Macht dienen, umkehrt; hier diene die Macht dem Zeremoniell. Pemberton ortet den historischen Ursprung des Theaterstaates in der 1745 erfolgten Verlegung der Hauptstadt von Kartasura nach Surakarta. Spätere Berichte beschrieben diese Übersiedlung als rituelles Ereignis, als »große Staatsprozession«, als Schöpfung des »Königreiches von Surakarta, des ›besten auf der Welt‹«. Wie Pemberton aufzeigte, hatte dieses mythische Königreich in Wirklichkeit allerdings viel bescheidenere Wurzeln, nicht im Ritual, sondern in der Übersiedlung der Hauptstadt selbst, »einer Übersiedlung, im Zuge derer die Überreste eines geplünderten Palastes einfach aufgesammelt und unter holländischem Geleit feierlich einige Dutzend Kilometer weiter verbracht wurden« (S. 35).

Die Ausführung des Rituals oder Zeremoniells, auf der Geertz' Analyse des »Theaterstaats« aufbaute, hatte einen viel spezifischeren und negativeren Ursprung und Zweck, als die Reproduktion einer Kultur. Pemberton kehrt die Begründung um: es ist nicht die Tradition, die dem Theaterstaat, dem *negara* und seiner Autoritätsstruktur zugrunde liegt und diese perpetuiert, sondern der Theaterstaat bildet die Basis dessen, was wir »Tradition« nennen; schließlich benötigt er seinerseits die Tradition, um als das »geordnete, friedliche Königreich« der Vorzeit den Anschein von Statistik zu erzielen. Pemberton schließt: »So trat das Ritual als neue Form der Macht hervor, als besonders privilegierter Vorgang, um den Widerspruch zwischen dem, was war, und dem, was nicht war, in einen neuen Königsstaat zu transformieren.« (S. 37)

Das vielleicht wichtigste Ritual in diesem Zusammenhang ist die Hochzeitszeremonie, deren Geschichte Pemberton im ersten Teil behandelt; im zweiten Teil widmet er ihr ein ganzes Kapitel. Bereits im 18. Jahrhundert waren König und Bräutigam zu austauschbaren Symbolen geworden, und die Königshochzeiten gerieten zum »idealen Schauplatz für die sich entwickelnde kulturelle Elite« (S. 39). Die wachsende Bedeutung des Zeremoniells in der Hofpolitik liegt in einer »domestizierten Politik der Hei-

ratsdiplomatie«. Nach 1830 kommt dem königlichen Hochzeitszeremoniell eine herausragende repräsentative und perfomative
Rolle zu.

Im ethnographischen Abschnitt des Buchs befaßt sich Pemberton mit dem Indonesien der frühen achtziger Jahre, besonders
mit der Ausbildung »javanischer« Subjekte/Objekte. Seine Analyse kreist um die Unterscheidung zwischen dem englischen Begriff »*traditional*« (stets in Anführungszeichen) und dem javanischen Begriff »*tradisional*«, der mangels eines indonesischen
Äquivalents dem Holländischen entlehnt ist. Im *New Order* bildet das Hochzeitszeremoniell den Hauptträger des »javanischen
tradisional« als Gegenentwurf zur Situation, die durch die früheren Kolonialmächte, allen voran den Holländern, in Java geschaffen worden war. Durch die Wiederbelebung des Rituals und
der »javanischen« Kultur will Suhartos *New Order* die Selbstdarstellung einer »in sich ruhenden, in idealer Weise unverwundba-
ren« javanischen Welt konstruieren. Pemberton zeigt auf, daß
diese Welt sich ursprünglich als Supplement zu jener der
Holländer formierte, daß sie sich erst nach der Ankunft der
Holländer als »javanisch« kristallisierte und sich in der Folge so
umbildete, als sei sie seit jeher selbstverständlich und schon vor
der Kolonialherrschaft existent gewesen. »Kurz gesagt«, schreibt
Pemberton, »das Supplement sollte sich an den Anfang verschie-
ben«.

Anhand der vom *New Order* obsessiv betriebenen Beschäftigung
mit der Hochzeit, einer Institution, die »der Erfüllung der ›tradition‹ gewidmet ist und gleichzeitig den Status sichert« (S. 200),[3]
illustriert Pemberton den Zwang des Regimes zur kulturellen
Wiederbelebung. Das Spannungsmoment im Hochzeitsritus
liegt nach Pemberton darin, daß er die Zeugungskräfte, die eine
vom Regime unabhängige und für dieses bedrohliche Macht
zeugen könnten, zulassen muß, »um sie zu zähmen und sie in
den Dienst der gesellschaftlichen Erneuerung zu stellen« (S.
204). Von Hochzeiten und anderen Zeremonien wird erwartet,
daß sie eine Struktur der Domestikation nachahmen, »die nur
deshalb laufend potentiell unreglementierte Praktiken zuläßt,
um sie in einen Rahmen zu zwängen und so zu Beispielen für
›traditionelle Rituale‹ zu machen, die man im Hinblick auf ein
immer schöneres ›Beautiful Indonesia‹ vollzieht.« (S. 205)

Ein heiteres Beispiel für Hochzeitsriten liefert Pemberton mit
dem »Brauch des Eierzertretens«:

»Dem Brauch gemäß steigt der javanische Bräutigam vor den Augen der Hochzeitsgäste auf ein Ei, das unter seinen rechten Fuß gelegt wurde, und tritt so in einen wohl viele Generationen alten Fruchtbarkeitszyklus ein. Das dadurch entstehende glitschige Eigemisch wird heute üblicherweise vermieden, indem man das Ei, »den Keim des Lebens« selbst in einem durchsichtigen Plastiksack versiegelt. Das verpackte Ei tauchte erstmals um die Mitte der siebziger Jahre in den städtischen Bankettsälen auf und wird heute üblicherweise als Zeichen einer zeremoniellen Verfeinerung betrachtet. Für Leute, in deren Denken noch die ältere Logik von Zeugung und Fortpflanzung wach ist, bedeutet das verpackte Ei jedoch eine rituelle Katastrophe. ›Kein Wunder, daß die Stadtmenschen so konfus sind‹ meinte eine ältere Dorfbewohnerin verächtlich auf meine Frage zum abgewandelten Eierbrauch, ›man darf den Keim des Lebens nicht in Plastik packen‹«.(S. 205)

Bei jeder Hochzeit gibt es einen »protokol«, einen rituellen Leiter, oder die Lautsprecherstimme eines solchen, der die Feier durch eine laufende Erzählung des Geschehens vorgibt. Einer der typischen von Pemberton zitierten *protokols* beginnt so: »Es möge Stille eintreten: Wo gibt es denn wirklich einen Festsaal, dem an Großartigkeit zwei unter hundert, ja zehn unter tausend gleichkommen? Tatsächlich ist der Saal, wie diese poetische Beschreibung einleitet, dieser eine Saal, der mit dem größten Glanz geschmückt ist, wie er sich in jeder Weise [...] zeigt[...]« (S. 260) Pemberton zieht den Schluß: »Während die *protokol* Woche für Woche die Bedeutungen darlegen, sitzen die Gäste gezwungenermaßen still und nicken dann und wann, als wollten sie den Antworten und der erweiterten Interpretation zustimmen, die beständig den Raum der »*Tradition*« mit einer Sprache ausfüllt, die stets darauf getrimmt ist, was auch immer fehlen könnte, wettzumachen.« (S. 227-228). Durch seine Erzählung soll der *protokol* gewährleisten, daß das Hochzeitsritual richtig vollzogen wird und daß die Zuschauer passiv und aufmerksam eine endlose Folge von Hochzeitsritualen, manchmal sogar mehrere »javanische« Hochzeiten pro Tag, absitzen. Als Pemberton einem jungen Mann aus Solo gegenüber erwähnte, daß die Feier ohne den *protokol* möglicherweise authentischer wäre, hielt dieser entgegen: »aber ohne ihn würde jeder verwirrt werden«. Und tatsächlich liegt hierin der Sinn des *protokol*l: Verwirrung zu vermeiden, so daß das »javanische« Subjekt/Objekt seine Identität in Begriffen eines *rite de passage*-Lebenslaufs (»geboren, gepaart und gestorben) imaginiert, der in Wirklichkeit erst zu Beginn des 20. Jahrhunderts in Erscheinung trat und erst unter Suhartos *New Order*-Regime seine zeitgenössische Form annahm. Unterbrochen werden diese Rituale von »quasi durchdringenden Gesten der Unterwerfung gegenüber der Autorität. Die Gastgeber rücken nun [...] ins neue Zentrum der Aufmerksamkeit an der Spitze der ritualisierten Befehlshierarchie [...]; die Gäste bleiben sitzen [...] unterworfen von den *tradisional* Beschwörungen eines allwissenden *protokol*«. (S. 228). Viele andere familiäre Ereignisse »einschließlich der männlichen und weiblichen Beschneidungen, die Geburt von Enkelkindern, der Viehtriebe, Jahrestage und sogar die exorzistische *ruwatan*-Zeremonie [...] folgen heutzutage weitgehend dem Muster der Hochzeitszeremonie.« In der Konklusion Pembertons liegt die »wirkliche Kraft einer symbolischen Interpretation der javanischen Hochzeit«, der Schwerpunkt der Ritusanalyse in Zentraljava sowohl für einheimische als auch für ausländische Kommentatoren, »weniger in der ihr zugrundeliegenden Bedeutung, die sie enthüllen könnte, als im Gefühl des Repetitiven, das sie vermittelt.« (S. 228-229) Anders ausgedrückt, eine semiotische Interpretation, die in der Welt der Akteure oder im »Text« verharrte, würde am Wesentlichen vorbei zielen, das darin liegt, die Wiederholung im Namen der *upacara tradisional* (rituellen Tradition) zu verankern, die das Subjekt/Objekt »Java« trägt.

Im »Nachwort« zitiert Pemberton die Verteidigung des Vorsitzenden der indonesischen Nationalversammlung angesichts der Verhaftung und der Opferung, d. h. Hinrichtung von »X hundert Kriminellen [...] um das Wohl von über 146 Millionen indonesischen Einwohnern zu gewährleisten [...] Wir schaffen nicht nur einen Rechtszustand, sondern bewegen uns in Richtung eines Rechtsstaates, eines *slamet*-Staates und eines Kulturstaates« (*negara kebudayaan* bedeutet recht wörtlich Kulturstaat, S. 317). Wo Geertz häufig kritisiert wurde, daß er die Beziehung der Massenmorde der Jahre 1965-66 zur Kultur des »Beautiful Indonesia« ignoriert habe, aus der das *New Order*-Regime hervorging, reflektiert Pemberton dies als Teil der »Herrschaft der Kultur«, der »Kultur Javas«, des Projekts einer Schaffung eines javanischen Subjekts und das eines Subjekt/Objekts als einer Verdrängung der Wurzeln der Gewalttätigkeit des *New Order*. Letztlich zwingt das Buch sowohl uns Ethnographen als auch die »Ja-

vaner«, die von uns verwendeten Kategorien vor allem »Kultur«
und »Ritual«, im Konstruieren von Subjekten genauer zu über-
denken.

IMPASSE OF THE ANGELS

Stefania Pandolfo stellt den auf eine Sperrholzplatte skizzierten
Grundriß eines alten Ksars an den Beginn ihres Buches. Erhal-
ten hatte sie diese Zeichnung, die gleichermaßen Geschenk wie
Verpflichtung war, von Yusef, mit dem sie sich während ihrer
Feldforschung in Südmarokko im Jahr 1984 angefreundet hatte.
Ein Ksar ist eine befestigte Siedlung, wie sie für Pandolfos For-
schungsregion in Südmarokko typisch ist. Den anderen Dorfbewohner war es nicht möglich, diese Karte zu enträtseln und die
Gegenwart Yusefs schien sie dabei sogar in Verlegenheit zu bringen. Tatsächlich bildet die Karte eine Art Labyrinth, das um so
auswegloser wird, je weiter man darin eindringt. Es erweist sich
als nahezu unmöglich es zu entwirren. Dennoch unternimmt
Pandolfo den kühnen Versuch und nennt das »eine poetische
Auslotung des zeitlich-räumlichen Universums, das der Leser
nun durchqueren wird.« (S. 6). Mit anderen Worten, sie warnt
uns, daß ihr Thema sich der simplen Aneignung widersetzt, sein
Terrain würde schwierig zu durchqueren sein. Nach vier Versuchen gab ich auf, den Grundriß zu entwirren beziehungsweise
ihrer Deutung zu folgen. Der Eintrittspreis ist zu hoch; ich ver-
füge nicht über das kulturelle Kapital, die Sprachen, die räumliche Orientierung und die Geduld, um mich im Labyrinth aufzu-
halten.
Zu ihrer Verteidigung schreibt Pandolfo allerdings »Es gibt keinen Ausgangspunkt, um das Ganze zu begreifen. Egal wie ich
mich ihm nähere, erscheinen manche Zonen des Rahmens umgekehrt oder auf die Seite gekippt, als würden sie von jemandem
anderen betrachtet, außerhalb meines Gesichtsfeldes; oder sie
erscheinen, als hätte man sie aus verschiedenen Winkeln gemalt,
ohne auf eine Gesamtansicht abzuzielen. Wenn ich zurücktrete
und schaue, sehe ich eine fast perspektivische Konstruktion, die
sich dem Betrachter darbietet und dann wieder verwehrt, eine
undefinierbare Sicht von oben, die es unmöglich macht, das Bild
in den Griff zu bekommen; und eine kubische Figur, die sich in
einem konzentrischen Kreis dreht« (S. 18). Auch in diesem Abschnitt mit dem Titel »Topologie einer Stadt« werden wir neuer-

lich vor der Fremdheit, der radikalen Alterität sogar im physischen Raum der ethnographischen Begegnung gewarnt. So wie die interpretative Ethnographie eines Geertz befaßt sich auch *Impasse of the Angels* mit dem »Innenleben des Eingeborenen«. Doch im Unterschied zu Geertz, der zum Teil die Bedeutung durch die Übersetzung aufzudecken versucht, sieht Pandolfo den Zugang nur als Öffnung, die eine radikale Ablösung vom eigenen Selbst auf einer von Verlust gezeichneten Reise ermöglicht. Sie zitiert Lacan, »[Das Unbewußte erscheint als etwas], das gleichzeitig innen ist im Subjekt, das sich aber allein außen verwirklicht, das heißt, im Ort des Anderen, wo allein es seinen Status annimmt.«[4] Das impliziert, daß Interpretation nicht das Dekodieren lesbarer Texte bedeutet, die in den versteckten Archiven der vergrabenen Stadt gelagert sind. Sie ist die intersubjektive Schaffung von ›Öffnungen‹, in welcher das Begehren des Anderen eine aktive Rolle spielt.

Das Buch ist in drei Abschnitte gegliedert: Rückkehren, Gegen-Rede und Verlust: »Rückkehren« befaßt sich mit der physischen Ortung und Relokation des Dorfes, mit einer Beschreibung des Ortes und dem Schaffen des Platzes. »Gegen-Rede« besteht zum Großteil aus einem Dialog zwischen der Autorin und Hadda, der in einem von patriarchischer Ideologie geprägten streng linearen Abstammungssystem ohne Vater aufwuchs und zweiundzwanzig Frauen geheiratet hat. Und »Verlust« konzentriert sich auf die Erinnerungsspuren, Ruinen und die *impasses* in der Schöpfung von Subjekten. Diese Struktur ist ebenso kreativ wie Pandolfos Auswahl ihrer Gesprächspartner, da sie durch diese Entscheidungen den Leser dezentriert und in radikaler Weise der Reise weder die Wegmarkierungen der Tradition – unilineare Abstammung, Armut, Islam, der Araber – noch jene der Geschichte verpaßt. Bewegung und Verständnis werden nur in der intersubjektiven Schaffung ihrer »Öffnungen« möglich.

Pandolfo leitet jedes Kapitel mit einer Erzählung ein, mit einer Geschichte, die ihr jemand persönlich berichtet hat. Eine Ausnahme bildet nur Teil III, der Abschnitt mit dem Titel »The Sphere of the Moon«, den sie mit einem eigenen Traum beginnt, mit einer Begegnung mit und durch sich selbst. Es ist ein Buch, das in seiner Kühnheit die Autorin durch und durch verletzlich macht – es ist alles ganz ihres, jede Begegnung ist sorgfältig ausgewählt und dann so gestaltet, daß die Sackgasse (*impasse*) zu erkennen ist, der nicht wiedergutzumachende Verlust, die Erinnerungsspur, die nicht mehr verlöscht. Andererseits ist das Buch so geschrieben, daß es den Leser überwältigt, der ständig an seine Voreingenommenheit, an seine Unzulänglichkeit, an die grundsätzliche Ausweglosigkeit der Sackgasse erinnert wird. Eintreten können die Leser nur zu Pandolfos Bedingungen, wenn sie ihre marokkanischen Szenen beispielsweise mit Zitaten (häufig im Original, während die Übersetzungen in den Fußnoten aufscheinen) von Antonin Artaud, Maurice Blanchot, Jorge Luis Borges, Jacques Lacan, Jean Genet und anderen durchsetzt und so ihre italienisch-französische Bildung verrät. Und sie zitiert mündlich überlieferte arabische Gedichte und Berberlyrik (das Original stets von der englischen Übersetzung begleitet), die sie selbst aufgezeichnet und transkribiert hat. In anderen Worten, sie beherrscht viele Sprachen und schreibt kompromißlos für einen idealen Leser, der nur sie selbst sein kann. Dennoch ist es genau diese radikale Reflexivität, die den Leser auf die Bedingungen der Autorenschaft (nicht auf die Autorin) zurückverweist, die eine Reflexion der Kategorien erzwingt, die in der Erfahrung, Übersetzung und Beschreibung verwendet werden. Es ist eine Doppelstrategie, ein Experiment, das in zweierlei Richtungen funktioniert.

Unter den vielen wunderbaren Passagen, die Ihnen einen besseren Eindruck von der Unmittelbarkeit der Begegnungen vermitteln können, als ich das vermag, die Sie näher an eine Szene, einen Ort ein Volk zu einem bestimmten Zeitpunkt heranrücken können, möchte ich die ersten paar Absätze von Pandolfos Epilog zitieren (S. 301-302):

> »Das Begräbnis ist vorbei. Die Klagen und das Lachen, das Schlafen im selben Raum, die dreckigen Witze und die plötzliche unerträgliche Trauer, die einen befällt wie eine schwere Last, wie gefrorene Stille, die ihren Zorn hinausschreit und dann zu Tränen schmilzt, dann sich auflöst wie Tau in der Sonne.
>
> Der Singsang, die Lieder sind verstummt, das Schlagen der *hadra* – ein langer Schlag zwischen zwei kurzen, und der tiefe Trommelschlag, der einen innerlich zittern läßt; und die Stimme der *muquaddema*, die ihre Gesänge des *ssalat ›ala nnbî* (Gebets an den Propheten) hinausruft, und die Trance, ja Trance, denn Atti Thela war eine alte Frau, und beim Tod einer alten Frau schickt es sich, den Trancetanz zu tanzen.
>
> Es schickt sich nicht beim Tod einer jungen Frau oder eines jungen Mannes, wie jenem Lhassan u Brahims, der in Casablanca während der Arbeit vom Baugerüst stürzte; oder beim Tod dieser jungen Frau aus Tanagamt, zu deren Begräbnis die trauernden Frauen in Scharen

aus den flußabwärts gelegenen Dörfern strömten, mit erhobenen Armen und unter lautem Schluchzen, in Verzweiflung das Haar raufend, da der Tod so schmerzlich, unerwartet und plötzlich gekommen war. Erst ein Jahr zuvor war sie als junge Braut in den Ksar gekommen und sie war schön gewesen– ihre Augen stets mit Kohl geschwärzt, ihre Wangen mit *l-aqar* gerötet – und herzlich, immer bereit zu helfen, stets zum Scherzen bereit. Sie stand kurz vor der Niederkunft: ihr erstes Kind. Ihr Mann ging auf eine Reise. Als er zurückkehrte, war das Kind geboren, und sie war gestorben.

Nein, beim Tod dieser Frau dachte niemand daran, die *hadra* zu schlagen, ja, man dachte nicht einmal daran, ein Begräbnis vorzubereiten, so groß war der Schmerz. Als aber Atti Thela vor vier Tagen ihren sanften Tod gestorben war, kurz vor Tagesanbruch an jenem Freitagmorgen, ehe es hell genug war, um einen schwarzen Faden von einem weißen zu unterscheiden; als ihre Nichte schreiend ins Freie lief, um die Kunde zu verbreiten, als man Wasser aufsetzte, um die Waschungen zu vollziehen, und ein Mann geschickt wurde, um l-Hajja Tama aufzuwecken, die den Leichnam für das Begräbnis vorbereiten sollte, da dachten die Leute, daß Atti Thela ihr volles Leben gelebt hatte, und wenn sie weinten, dann deshalb, weil sie an ihr eigenes Sterben dachten, an den Tod, und an das harte Los dieser einzigen Nichte, die geschieden war und nun niemanden mehr auf der Welt hatte als die Hühner ihrer Großmutter, die im Haus umherliefen.

Kh. hatte Atti Thelas sanftes Lächeln gern gehabt und sich entschlossen, sie im Tod unter ihrem Dach zu beherbergen. Das Begräbnis wurde in unserem Haus gefeiert. Frauen von den Harâr und den Harâtîn waren gekommen; Atti Thela war eine Weiße gewesen, hatte jedoch auch etwas von den Harâtîn. Die *muqaddema* hatte angekündigt, daß sie den Trancetanz tanzen würde. Der Tod würde sich in Leben verwandeln, sagte sie, und Leben in den Tod. Wenn sie nämlich die Trommel schlägt und singt, mit offenen Augen, als ob sie sehen könnte, dann ist das wie eine Vorahnung des Jüngsten Tages.

Wir wollen einen Leben-Tod feiern, hatte sie lachend-weinend gesagt. Drei Tage lang wechselten sich Gelächter und Verzweiflung ab – die Verzweiflung der *muqaddema* selbst, die ihr einsames Frauenleben beweinte, ihr kinderloses, blindes, »weint mit mir, Frauen von Bni Zoli«.

ANMERKUNGEN

[1] John Pemberton (Ph. D. Cornell University) unterrichtet an der Columbia University; Stefania Pandolfo (Ph. D. Princeton University) an der University of California at Berkeley.

[2] »Die wichtigsten Ereignisse im religiösen Leben der Dorfbewohner sind die *slametan* genannten religiösen Gemeinschaftsfeiern, die die Javaner bei Übergängen im Lebenszyklus und vor wichtigen Entscheidungen ausrichten. In dem untersuchten Dorf fanden solche Feste mindestens einmal im Monat, zu bestimmten günstigen Zeiten, die mit den Ernten zusammenfielen, sogar fast jeden Abend statt. An solchen Festen sind zwischen 10 bis 200 Gäste beteiligt. Feste mit 100 Teilnehmern waren keine Seltenheit. [...] Im javanischen Weltbild und in der javanischen Staats- und Gesellschaftstheorie sind irdische und außerirdische Ereignisse koordiniert. Unglück in weltlichen Dingen ruft kosmische Spannungen hervor und kann dadurch größeren Schaden nach sich ziehen. Beherrschung der Leidenschaften, Selbstkontrolle und Gemeinschaftssinn sollen solche Störungen im sozialen Leben verhindern. Die Übergänge im Lebenszyklus gelten als besonders problematisch, weil die betroffene Person dabei ihr inneres Gleichgewicht verlieren und böse Geister von ihr Besitz ergreifen könnten. Die Gemeinschaftsfeier hat nun den Sinn, der betroffenen Person den Übergang zu erleichtern, indem unter den Beteiligten Frieden erzeugt (in den javanischen Wörtern *slamet*/friedlich und *slametan* steckt das arabische Wort für Frieden) und nachbarschaftliche Harmonie (*rukun*) gestiftet wird, die die bösen Geister vertreibt.« Thomas Schweizer, WIE VERSTEHT UND ERKLÄRT MAN EINE FREMDE KULTUR? Zum Methodenproblem der Ethnographie, Universität zu Köln, thomas.schweizer@uni-koeln.de, vorläufige Fassung [10/1998], nicht ohne Genehmigung zitieren. Vortrag in der Sektion über die »Einheit der Gesellschaftswissenschaften? Einheit der Soziologie?« auf dem Kongreß für Soziologie im September 1998 an der Universität Freiburg.

[3] Pemberton beobachtete bei seinen Feldforschungen »Die Javaner konstruierten die Welt vor 1930 als eine Ära, in der die Dinge so waren, wie sie sein sollten und viele Generationen lang gewesen waren. Die Vorkriegszeit wurde zur »Vergangenheit«, zum Ort der Authentizität, zum Sitz der »javanischen« kulturellen Identität.«

[4] Jacques Lacan, Die vier Grundbegriffe der Psychoanalyse (Das Seminar, XI, S. 154.

Georg Simmel

FOTO VON DAVID FRISBY
ZUR VERFÜGUNG GESTELLT

Georg Simmels Großstadt: eine Interpretation

DAVID FRISBY

»Die Großstädte und das Geistesleben« zählt heute zu den berühmtesten und am häufigsten zitierten Aufsätzen Georg Simmels. Doch gerade dieser Ruhm und gleichsam der Automatismus, mit dem man sich im Diskurs über die moderne Großstadt auf diesen Essay bezieht, tragen die Gefahr einer Fetischisierung in sich. Was ursprünglich ein Vortrag war, ist nun ausschließlich in der Form des Aufsatzes bekannt. Das Thema – die Erforschung mehrerer Dimensionen der großstädtischen Existenz – wird üblicherweise nicht nur als Skizze des Berliner Geisteslebens betrachtet, sondern auch in seiner Entstehung dem Berliner Kontext zugeordnet. In Wirklichkeit jedoch referierte Simmel »Die Großstadt und das Geistesleben« – wie die offizielle Ankündigung lautete – im Februar 1903 in Dresden.[1] Auf den Rahmen des Vortrages soll später noch eingegangen werden.

Bleiben wir noch kurz bei Simmels Text in der Form des Aufsatzes, dessen Wirkung als Publikation ebenfalls von Interesse ist, besonders angesichts der Häufigkeit, mit der er in den letzten Jahrzehnten zitiert worden ist. Als Vortrag manifestierte er sich lediglich im Echo der Zeitungsrezensionen.[2] Im Gegensatz zu etlichen anderen Vorträgen Simmels wurde dieser nicht in einer Zeitung oder Zeitschrift publiziert, was zweifellos daran lag, daß der Aufsatz als Teil einer Vortragsreihe in einem Jahrbuch erscheinen sollte. 1903 wurde er im *Jahrbuch der Gehe-Stiftung zu Dresden* veröffentlicht. Dabei handelte es sich um die einzige Druckfassung zu Simmels Lebzeiten; der Autor veranlaßte keinen Nachdruck und schloß den Essay auch nicht, wie viele seiner anderen Aufsätze, in eine seiner umfassenderen Publikationen oder Aufsatzsammlungen ein, etwa in seine *Soziologie* von 1908. Bis zur Mitte der fünziger Jahre war der Essay lediglich im *Jahrbuch der Gehe-Stiftung* zu finden, das seinerseits kein leicht zugängliches Periodikum war, sondern eine Stiftungsreihe von kleiner Auflage und Verbreitung.[3]

Wenden wir uns dem Nachleben des Essays im englischen Sprachraum zu, wo er womöglich noch berühmter und häufiger zitiert wurde, so mag es überraschen, daß er der Öffentlichkeit erst 1950 in einer Übersetzung von Hans Gerth bekannt wurde; er bildete den Abschluß einer Auswahl von Simmels soziologischen Werken, die in der von Kurt H. Wolff herausgegebenen Sammlung *The Sociology of Georg Simmel* erschienen.[4] Zwei Jahrzehnte später erschien eine zweite Übersetzung, die Edward Shils lange davor in Chicago in Umlauf gebracht hatte, in einer weiteren Ausgabe von Simmels soziologischen Schriften, der von James Levine editierten Sammlung *On Individuality and Social Forms* von 1971.[5]

Die Möglichkeit einer früheren Druckfassung der englischen Übersetzung von Simmels Essay schien sich nicht ergeben zu haben. Allerdings wurde häufig darauf hingewiesen, daß die Chicago School of Sociology nahezu von Beginn an stark von Simmels Soziologie beeinflußt war. Einige Aspekte der Simmel-Rezeption in Chicago sind wesentlich für die generelle Wirkung und das Nachleben des Großstädte-Essays. Kein anderer Europäer neben Simmel war mit so vielen ins Englische übersetzten Auszügen aus seinen Arbeiten in *The American Journal of Sociology* präsent, was den Übersetzungen sowie dem frühen Enthusiasmus des Herausgebers Albion Small zu verdanken ist, der die Zeitschrift in Chicago gegründet hatte.[6] Der Großstädte-Essay hingegen erschien weder in diesem noch in einem anderen Periodikum, das Simmels Werke in englischer Sprache brachte, nicht einmal im *International Monthly*, später *International Quarterly*, dem Simmel selbst als Berater für Soziologie zur Seite stand.[7] Ein weiterer direkter Kontakt Simmels zur Chicago School ergab sich neben Small durch Robert Park, der gemeinhin als eine der Schlüsselfiguren im Studienprogramm für Stadtsoziologie der Chicago School angesehen wird. Park hatte im Wintersemester 1899 bei Simmel studiert.[8] Etwas später, wahrscheinlich auf Anregung Smalls, besuchte dessen Student Howard Woodhead in den Jahren 1902/03 Simmels Vorlesungen in Berlin. Über Woodheads weitere Laufbahn ist zwar wenig bekannt, man weiß jedoch, daß er von Small den Auftrag erhalten hatte, für das *American Journal of Sociology* eine Artikelserie über die Dresdner Städteausstellung zu verfassen.[9] Im Hinblick

auf diese Ausstellung wurde vor der Eröffnung ein Vortragszy-
klus veranstaltet, in dessen Rahmen auch Simmel sprach.
Woodheads Bericht bleibt der detaillierteste englischsprachige
Bericht über die Bedeutung der Dresdner Ausstellung. Simmels
Großstadt-Vortrag wird darin allerdings nicht erwähnt, obwohl
Woodhead in seiner Korrespondenz mit Small häufig auf Sim-
mels Vorträge verwiesen hatte.[10]
Den deutlichsten positiven Bezug auf Simmels Essay nimmt im
Kreis der Chicago School zweifellos Lois Wirths Bibliographie
der Arbeiten zur Stadtsoziologie, die 1925 im wichtigen Band
The City von Park und Burgess erschien. Darin beschreibt Wirth
Simmels Aufsatz als wichtigsten soziologischen Artikel zum
Thema Stadt – »the most important article on the city from the
sociological standpoint«.[11] Trotz dieses Lobes ist es nicht beleg-
bar, daß dieser Hinweis den Impuls zur Übersetzung des Aufsatzes ins Englische gegeben hätte, obgleich Shils Übersetzung später in Chicagos Sociology Department verfügbar war.
In den vergangenen Jahrzehnten wandelte sich »The Metropolis
and Mental Life«, so die Übersetzung des Titels in Englische,
nicht nur zu einem von Simmels neben »The Stranger« meistzi-
tierten Aufsätzen, sondern entwickelte ebenso wie letzterer ein
Eigenleben, abgehoben vom ursprünglichen Kontext. Wo immer
Simmels Soziologie in den nordamerikanischen Curricula unterrichtet wurde, zählten wohl bis vor kurzem die Essays über die
Großstädte, den Fremden und der Auszug über Dyaden und
Triaden aus dem Aufsatz über die Zahl zu jenen Themen, die So-
ziologiestudenten am häufigsten zu bearbeiten hatten.
Was sind nun die möglichen Folgen einer Fetischisierung von
»Die Großstädte und das Geistesleben«? Fetischisierung führt zu
einem geschlossenen selbstbezüglichen Bewertungssystem, das
nicht nur eine Trennmauer zwischen den Text und andere
schiebt, sondern auch häufig als abschließendes Argument einen
Diskurs beendet. Anders ausgedrückt, die Offenheit des Essays
geht nun in Form, Inhalt und Methode verloren. Wie allgemein
bekannt ist, weisen alle Aufsätze Simmels eine unvollständige
dialektische Form auf, in welcher Dichotomien und Antinomien
an den Beginn des Essays gestellt werden, die in der Weiter-
führung und Schlußfolgerung in keinerlei Synthese münden.
Dies stellt eine der Methoden dar, die es Simmel ermöglichen,
derartig viele Themen in einem einzigen Aufsatz zu verknüpfen.
Laut Siegfried Kracauer erlaubt diese offene Form des Aufsatzes

Simmel auch, von jedem Punkt seines Werkes zu jedem anderen zu gelangen.[12] Es ist also diese Art der Annäherung an das Thema, die untermauert, daß es in Simmels Werk kein geschlossenes System gibt.

Wenden wir uns dem Hauptinhalt des Essays zu, dann zeigen sich weitere Folgen einer Fetischisierung. Fetischisieren wir den Großstädte-Aufsatz zum unumgänglichen, seine Gültigkeit aus sich selbst beziehenden Kriterium zur Analyse der Großstadterfahrung (wobei häufig eine eingehende i n t e r n e Textinterpretation unterbleibt), dann wird es schwierig, die Thesen zu verifizieren, die von uns oder anderen zu diesem Essay aufgestellt werden und wurden. Unterziehen wir den Essay einer Lektüre, isoliert vom h i s t o r i s c h e n Kontext (warum gerade diese Themen an dieser räumlich-zeitlichen Schnittstelle?) und vom t e x t u e l l e n Umfeld (auf welche Weise überschneidet sich dieser Text mit Simmels übrigen Forschungen zur Großstadterfahrung und zu jenen Dimensionen sozialer Erfahrung, die für die moderne Großstadt relevant sind?), dann s o l l t e n uns heutzutage etliche S c h w a c h p u n k t e des Aufsatzes ins Auge fallen. Anders gesagt, die Fetischisierung dieses Essays hindert uns daran, das Spezifische an Simmels Interpretation der Großstadt zu erkennen, etwa das, was charakteristisch für ihre Hauptmerkmale ist (einschließlich eines Vergleichs mit jenen von Simmels Zeitgenossen aufgezeigten) oder für ihre Auslassungen und Defizite.

Dennoch stellt sich hier nicht nur das Problem der Auslassungen und Defizite. Vielmehr geht es auch darum, daß der Prozeß der Fetischisierung es unmöglich macht, dem Essay selbst gerecht zu werden. Als Produkt der Identifikation des Aufsatzes mit d e m Ort all dessen, was Simmel zur Großstadterfahrung zu sagen hat, führt die Fetischisierung ihrerseits dazu, daß die gesamte Stadtforschung Simmels in ihrer wissenschaftlichen Fülle gar nicht gewürdigt werden kann. Zumindest in dieser Hinsicht verdrängt die Betrachtung des Essays als (isoliertes) F r a g - m e n t die G e s a m t h e i t von Simmels Untersuchungen des Großstadtlebens. Wenn wir im Gegensatz dazu den Großstädte-Essay in den größeren historischen Kontext von Simmels übrigen Arbeiten stellen, können wir thematische und analytische Affinitäten zu seinen früheren Aufsätzen und anderen Schriften und zu seinen zeitgenössischen Texten entdecken. Abgesehen von Simmels eigener Kontextualisierung des Essays – in der ein-

zigen Fußnote weist er darauf hin, daß dessen »kulturgeschichtliche Hauptgedanken« in der *Philosophie des Geldes* (1900) begründet und ausgeführt seien[13] – mögen hier zwei Beispiele zur
Illustration genügen. Zum einen läßt sich das Vorherrschen der
»Blasiertheit« in der modernen Großstadt, das in allen Zusam-
menfassungen des Essays in der Sekundärliteratur hervorgehoben wird, zumindest bis zu Simmels Aufsatz von 1890 »Über
Kunstausstellungen«[14] zurückverfolgen. Und als Beispiel dafür,
wie Simmel zu gleicher Zeit an anderer Stelle eine vernachlässigte Dimension seiner Großstadt-Untersuchung behandelte,
sollte nicht unbeachtet bleiben, daß zwei wesentliche Aufsätze
zur Soziologie des R a u m e s im gleichen Jahr wie der Großstädte-Essay erschienen.[15]
All das deutet darauf hin, daß wir selbst mit Gewinn die von
Simmel in »Die Kreuzung sozialer Kreise«[16] dargelegte Einsicht
in eine wesentliche Grundlage unserer p e r s ö n l i c h e n Identität – nach der die Kreuzung unserer persönlichen und sozialen
Kreise unsere individuelle, soziale Identität konstituiert – umset-
zen könnten, indem wir diese Problemstellung auf die Ebene der
t e x t u e l l e n Identität transponieren. Es könnte also lohnend
sein, den Großstädte-Text selbst als Kreuzung textueller Kreise
(im Sinne anderer Simmel-Texte, welche Dimensionen der Großstadterfahrung behandeln) zu analysieren. Durch eine derartige
Untersuchung von »Die Großstädte und das Geistesleben« als
Zentrum von Kraftfeldern läßt sich eine adäquatere Erklärung
der dynamischen Spannungen des Essays finden, als es dessen
Fetischisierung erlauben würde.

II

Unmittelbarer Anlaß für Simmels Text war die Einladung zu
einem Vortrag im Rahmen eines Zyklus zum Thema Großstadt,
der im Vorfeld der Dresdner Städteausstellung von 1903 unter
der Schirmherrschaft der Gehe-Siftung veranstaltet wurde. Vor-
tragende waren die Akademiker des Leipziger kulturwissenschaftlichen Kreises, der daran arbeitete, mittels empirischer
Erforschung der Gesellschaft deren gesetzmäßige Natur zu enthüllen.[17] Zu ihnen zählte unter anderen Karl Bücher (dessen
Werk *Arbeit und Rhythmus* Simmel rezensiert hatte)[18] sowie der
Geograph Friedrich Ratzel (den Durkheim als mögliche Quelle
für viele von Simmels Erkenntnissen zur Soziologie des Raumes

anführte).[19] Der Außenseiter oder Fremde in diesem sächsischen
Gelehrtenkollegium war Simmel. Und er war so sehr Außenseiter, daß der Organisator der Vortragsreihe sich in seinem Vorwort zur Druckfassung der Vorträge zum Hinweis verpflichtet
fühlte, daß Simmel die Ausgewogenheit der Vorträge gestört
habe und daß es ihm, Retemann notwendig erschiene, einen solchen Beitrag zu Großstadt und Geistesleben beizufügen, wie ihn
Simmel selbst h ä t t e vortragen s o l l e n.

> Nach dem den Einzelvorträgen der Gehe-Stiftung im Winter 1902/03
> zu Grunde gelegten Plane sollten die ersten drei derselben die Ur-
> sprünge, den Schauplatz und das Personal des Großstadtlebens behan-
> deln und die drei folgenden der Erörterung der wirtschaftlichen, gei-
> stigen und politischen Bedeutung der Großstädte gewidmet sein. Da
> jedoch die geistreichen Ausführungen des Herrn Prof. Dr. Simmel
> über die Großstädte und das Geistesleben vielmehr den Einfluß auf
> das Geistesleben des einzelnen Großstädters als die geistigen Kollektiv-
> kräfte der Großstädte und deren Kollektivwirkungen zum Gegenstand
> hatten, entstand eine Lücke in der Durchführung des ursprünglichen
> Programms, zu deren bestmöglicher Ausfüllung, mit Zustimmung des
> wissenschaftlichen Ausschusses, der Verfasser des Aufsatzes »Die gei-
> stige Bedeutung der Großstädte« vom Direktorium ermächtigt
> wurde.[20]

Viel verhängnisvoller für Simmel sollte sich allerdings der Auftritt des deutschnationalen Historikers Dietrich Schäfer erweisen, der den Abschlußvortrag über die politische und militäri-
sche Bedeutung der Großstadt hielt. Fünf Jahre später wurde
Schäfer um eine anonyme Beurteilung von Simmels Werk gebe-
ten, als sich Simmel 1908 um den Lehrstuhl für Philosophie an
der Universität Heidelberg bewarb. Abgesehen von antisemiti-
schen Ressentiments enthielt Schäfers Urteil auch eine negative
Bewertung des Dresdner Vortrags über die Großstädte:

> »Die Gesellschaft als maßgebendes Organ für menschliches Zusam-
> menleben an die Stelle von Staat und Kirche setzen zu wollen, ist nach
> meiner Meinung ein verhängnisvoller Irrtum. [...] Ich kann auch nicht
> finden, daß man aus Simmels Schriften (soweit sie mir bekannt ge-
> worden sind) viel Bleibendes hinwegnimmt. Das Geistesleben der
> Großstädte kann man kaum dürftiger und einseitiger behandeln, als er
> es [...] getan hat.[21]

Allein der Umstand, daß er in seinen Schriften die Großstadt
thematisierte, erwies sich bereits als gefährlich für Simmel. Immerhin lag jedoch die Bedeutung der Dresdner Städteausstellung darin, daß es sich um die erste p o s i t i v e Darstellung der

modernen Großstadt handelte, während bis dahin eine kritische
Betrachtung der Stadt und der urbanen Kultur als Leitmotiv die
meisten soziologischen Theorien und Kommentare beherrscht
hatte. Dennoch war dies nicht die erste Gelegenheit, bei der Simmel sich zum Bild der modernen Großstadt äußerte. Bereits
einige Jahre früher, 1896, hatte er einen Artikel über die Berliner
Gewerbe-Ausstellung verfaßt,[22] die als erste deutsche Weltaus-
stellung im 19. Jahrhundert geplant gewesen war. Die feindselige
Haltung der anderen deutschen Staaten gegenüber Preußen
führte jedoch zur Eingrenzung des Ausstellungshorizontes auf
Berlin – und selbst da wurde nicht ausdrücklich die moderne In-
dustrie, in der Hauptstadt durch AEG, Siemens etc. präsent, in
den Mittelpunkt gestellt, sondern das Gewerbe. In der Folge dieser Ausstellung von 1896 reifte der Plan zu einer repräsentati-
veren Städteausstellung, die schließlich 1903 in Dresden stattfand. In diesem Zusammenhang war die Botschaft von Simmels
Vortrag innerhalb des Zyklus der Gehe-Stiftung eine zweideu-
tige. Jedem positiven Zug des großstädtischen Lebens wurde
eine Einschränkung gegenübergestellt. So sei etwa die Freiheit,
die ein Städter gegenüber dem Land- oder Kleinstadtbewohner
besaß durch wachsende gesellschaftliche Distanz und durch die
Abstraktion oder Funktionalisierung sozialer Beziehungen im
städtischen Gefüge zu bezahlen. Eine zeitgenössische Rezension
von Simmels Vortrag siedelte diesen auf der Ebene eines Kamp-
fes des Individuums gegen »kollektive Kräfte« in der Großstadt
an.[23] Gewiß lag eine zentrale Thematik in jener Spannung zwischen einer thematischen subjektiven »Persönlichkeitskultur«
und einer objektiven »Sachkultur«, die als roter Faden bereits
Simmels Analyse des Übergangs zu einer entwickelten kapitalistischen Geldwirtschaft durchzog.

Tatsächlich sind der Vortrag – in der uns überlieferten Form –
und der Essay voll von Spannungen, die ungelöst blieben und so
eine Dynamik schufen, die zu deren nachhaltiger Wirkung bei-
trugen. Zu diesen Spannungselementen zählen nicht nur die
wachsende Kluft zwischen subjektiver und objektiver Kultur,
sondern auch die Simultaneität von Prozessen der Differentiation und Dedifferentiation, das Nebeneinander von Berechenbarkeit und Zufälligkeit in den sozialen Wechselbeziehungen,
die Gleichzeitigkeit von körperlicher Nähe und geistiger Distanz
in der Großstadt, die Spannungen zwischen Geistesleben und
dem physischen Leben des Stadtkörpers, die Grenzen zwischen

Innen und Außen (nicht nur zwischen privatem und öffentlichem Bereich, sondern auch jene zwischen den verschiedenen Öffentlichkeiten) und schließlich die dialektischen Beziehungen zwischen Fragment und Totalität. Um hier nur ein Beispiel zu nennen, sei erwähnt, daß Simmel die Simultaneität von Berechenbarkeit und Zufälligkeit im Großstadtleben hervorhebt, als er ein einziges Mal im Text Berlin explizit erwähnt und fragt, was wohl geschähe, wenn dort alle Uhren »plötzlich in verschiedene Richtungen falschgehen würden«. Entworfen wird das Bild der Stadt als endloser Kreislauf, als komplexes Netzwerk von Wechselbeziehungen, als Chaos von Interaktionen (samt der Begleiterscheinung unseres inneren Chaos, das dem Bombardement unserer Sinneseindrücke entspringt). In Wirklichkeit ist das scheinbare Chaos von zufälligen Interaktionen das Ergebnis der massiven Kreuzung von kalkulierten, präzisen Bewegungen und Interaktionen. Zufälligkeit und Berechenbarkeit sind dialektisch verschränkt.

III

Wenden wir uns nun von den allgemeineren thematischen Spannungen den wesentlichen Merkmalen dieser Großstadt zu, werden wir tiefgreifender Auslassungen Simmels gewahr. Wie auch in Walter Benjamins späteren Berlin-Porträts in *Berliner Chronik* und *Berliner Kindheit um 1900* gibt es kaum Hinweise, daß die Großstadt eine Produktionsstätte ersten Ranges sein kann.[24] Im Falle Berlins – betrachtete man es nicht vom Westen her, sondern als Ganzes – entstand dank des wichtigen Industriesektors, zu dem unter anderem Borsig, AEG und Siemens gehörten, in der Stadt die höchste Konzentration von Fertigwarenproduzenten in Deutschland. Die Charakteristika des Geisteslebens einer Industriestadt könnten sich wohl deutlich von jenen in einer Verwaltungshauptstadt unterscheiden. Die Fülle des Warenangebots in der modernen Großstadt und der schonungslose Kampf um Gewinn und Überleben im städtischen Wirtschaftsleben finden bei Simmel Erwähnung, werden aber nicht eingehender behandelt.

Der Umstand, daß der Essay den Faktor P r o d u k t i o n offenkundig weitgehend ausspart, wirft weitere Fragen auf. Erstens lassen der Essay und besonders die *Philosophie des Geldes* darauf schließen, daß Simmel, indem er die moderne Großstadt und die entwickelte Geldwirtschaft als Sitze der Modernität identifiziert, eher die Bereiche des Verkehrs, des Austauschs und des Konsums in den Vordergrund rückt als die Produktion. Diese Schwerpunktsetzung unterscheidet Simmels Entwurf der Modernität von jenem Marx', der sich auf die Merkmale der kapitalistischen Produktionsweise konzentriert. Weiters von jenem Max Webers, der die rationale Organisation der Bereiche des modernen Lebens, einschließlich der rationalen Organisation von Wirtschaftsunternehmen im Gewinnstreben ins Zentrum rückt; von Ferdinand Tönnies, der den Übergang von der Gemeinschaft zur Gesellschaft durch den Ersatz von natürlichen menschlichen Beziehungen durch abstrakte, vertraglich fundierte Beziehungen charaktersiert sieht und die Transformation des Willens hervorhebt (obgleich für ihn die moderne Großstadt der Inbegriff von Gesellschaft ist); von Emile Durkheim, der die Modernität mit dem Wandel der sozialen (moralischen) Regulative und der gesellschaftlichen Solidarität (einschließlich der Produktion und der Großstadt) identifiziert, und von Werner Sombart, der anfänglich die Züge der Modernität im modernen Kapitalismus mit dem beschleunigten Wandel und der Vermassung (von Individuen und Waren) gleichsetzt. Zusätzlich führt nun Simmels Konzentration auf die Bereiche Verkehr, Austausch und Konsum zur Erforschung jener Wesenszüge der Modernität, die an der Oberfläche des Alltagslebens zutage treten (obwohl Simmel stets betont, daß die Analyse der Oberfläche mittels der darunter liegenden Schichten erfolgt).

Verknüpft mit dem weitgehenden Ausklammern des Produktionssektors in Simmels Essay ist das Fehlen der für die moderne kapitalistische Großstadt typischen s o z i a l e n K l a s s e n - d i f f e r e n t i a t i o n im städtischen Raum. In anderen Schriften, etwa Simmels Forschungen zu Konflikt, Über- und Unterordnung und zur Kreuzung sozialer Kreise,[25] liegen allerdings die Grundlagen zur Untersuchung einer solchen Differentiation, die leicht in die Analyse der Großstadt zu integrieren wäre. Dafür, daß sich Simmel dieser Klassendifferentiation bewußt war, gibt es zahlreiche Belege, häufig im Zusammenhang mit Verweisen auf eine radikale Interpretation der Geldwirtschaft, etwa in Parks Vorlesungsmitschriften von 1899.

> Die heutige Gesellschaft ist darauf gebaut, daß einige gar kein Geld besitzen (unterste), andere etwas zurücklegen (mittlere) eine dritte Klasse endlich dauernd von ihren Renten leben kann (oberste

Schicht). Das ist ein fast ganz von den Personen unabhängiges Verhältnis freilich durch einen gerechten Sieg im Wettbewerb, einen Sieg der Schlaueren, der Klügeren oder auch der Gewissenloseren.[26]

Bei genauerer Untersuchung läßt sich Simmels in »Die Kreuzung sozialer Kreise« angestellte Analyse auf die Grenzen der Interaktion sowohl zwischen sozialen Klassen als auch zwischen ethnischen Gruppen und Geschlechtern anwenden. Über die hier implizierten Differentiationen zwischen Innen- und Außenwelt könnte man auch eine kognitive Zonengliederung der Großstadt nach verschiedenen Gesellschaftsklassen und anderen Schichten entwickeln.

Nicht nur die Differenzierung in Klassen und Volksgruppen tritt in Simmels Bild der modernen Großstadt in den Hintergrund, auch die Dimensionen der p o l i t i s c h e n , j u r i d i s c h e n und a d m i n i s t r a t i v e n G e w a l t e n fehlen weitgehend in seiner Analyse. Berlin, die mit Simmels Essay am häufigsten assoziierte Stadt, bildete das politische und administrative Zentrum des Kaiserreiches sowie der preußischen Hegemonie. Die Präsenz der staatlichen Organe in den Hauptstädten und vor allem in jenen der Kontinentalstaaten, wird flüchtig unter den Dimensionen der überindividuellen objektiven Kultur als die »sichtbaren Institutionen des Staates« erwähnt (nebenbei wäre anzumerken, daß das Militär in der Hauptstadt allgegenwärtig war und Simmel sich auch der »unsichtbaren« Institutionen des Staates, etwa der Geheimpolizei, bewußt war). Doch auch hier läßt sich nicht behaupten, daß Simmel in seinen anderen Untersuchungen der modernen Gesellschaft die politischen, juridischen, militärischen und administrativen Kräfte außer acht gelassen hätte. Wie sein Aufsatz zu Über- und Unterodrnung, »Die Philosophie der Herrschaft«, sowie die in »Soziologische Ästhetik« angestellten Überlegungen zu Symmetrie und Asymmetrie in der Staatenbildung und zahlreiche andere Quellen bezeugen, war ihm sehr wohl daran gelegen, Erscheinungsformen der Herrschaft zu analysieren.[27] Viele dieser Exkurse auf das Terrain einer Soziologie der Herrschaft nehmen Max Webers eingehendere Untersuchungen vorweg. In gleicher Weise, um ein Beispiel zu nennen, das einen Modus der sozialen Organisation mit dem Geistesleben verbindet, geht Simmels Untersuchung der Bürokratie und des Staatsbeamten »als Vertreter der Staatsgewalt«[28] Webers soziologischem Interesse für die rationale Verwaltungsorganisation voraus. Ein weiteres Mal finden wir in den wichtigen, allerdings häufig wenig beachteten Vorlesungsmitschriften Parks von 1899 eine Erklärung Simmels für das Auftreten eines signifikanten Elements der objektiven Kultur, das in der modernen Großstadt vorherrschte und mit einer (illusorischen) Unabhängigkeit ausgestattet war.

> Die Bureaukratie [...] ist eine formale Bildung, die unentbehrlich ist, aber eben bloß eine formale. Das Bureauwesen muß schematisch sein. Dieser notwendige Schematismus gerät nun mit den Anforderungen des wirklichen gesellschaftlichen Lebens, das sich nicht in ihn hineinzwängen kann, oft in Widerspruch. Sehr verwickelten und individuellen Fällen steht die Maschine der Bureaukratie ratlos gegenüber. Außerdem ist das langsame Tempo, in dem dieselbe arbeitet, vielfach ein Stein des Anstoßes. Wenn nun ein solches Organ seiner bloß dienenden Rolle vergißt und sich selbst als Zweck seines Existierens ansieht, so muß ein Zwiespalt entstehen, eine Unmöglichkeit des Nebeneinanderbestehens beider Lebensformen. In dem Abgrund zwischen der selbstvergessenen Bureaukratie und den Anforderungen des praktischen Lebens liegen viele, teils humoristische, teils tragische Reibungen.
>
> Zu vergleichen ist die Bureaukratie mit dem Schematismus der Logik. Auch die Logik ist nur ein Werkzeug, unentbehrlich, um mit dem Inhalt des Denkens zusammen den Zwecken des Denkens zu dienen. Es darf sich nicht selbst genügen und eine Welt für sich bilden wollen, es darf nicht Endzweck des Denkens werden, ebensowenig wie die Bureaukratie Endzweck des Staates.«[29]

In der Ausprägung der Bürokratie und in der von ihr hervorgebrachten abstrakten geistigen Konstellation sieht Simmel Affinitäten mit dem gleichermaßen abstrakten und formalen Denkmodell, der formalen Logik.

Ein weiterer Faktor der objektiven Kultur der Großstadt und ihrer Differenzierung, der im Großstädte-Essay von 1903 nicht angeschnitten wird, ist die Frage der G e s c h l e c h t e r . Angesichts des Aufsatzes »Weibliche Kultur« (erweitert in *Philosophische Kultur* von 1911), der ein Jahr zuvor erschienen war, mag das überraschen.[30] Darin hatte Simmel erklärt, daß die objektive Kultur aus historischer Sicht männlich dominiert war. In diesem und anderen Aufsätzen interessierte er sich für die Frauenbewegung, für patriarchische Verhältnisse zwischen Herrschaft und Dienenden, für den Inhalt der dialektischen Spannung zwischen expandierender objektiver Kultur und einer zunehmend gefährdeten subjektiven Kultur und für das Potential einer unabhängigen weiblichen Kultur, die nicht der männlich dominierten objektiven Kultur unterworfen ist. Seine Befürwortung der letzteren Entwicklungsmöglichkeit entwertet er jedoch, indem er sie mit der häuslichen Privatsphäre gleichsetzt. Die Wechselbeziehungen und Abgrenzungen zwischen öffentlichen und privaten Bereichen in der modernen Großstadt werden hinsichtlich der Geschlechterfrage in Simmels Essay nur beim Thema Prostitution indirekt angeschnitten. Daß sich auch das großstädtische Geistesleben entlang der Trennungslinie zwischen den Geschlechtern differenzieren ließe, wird von Simmel insofern anerkannt, als er argumentiert, daß die größere männliche Partizipation an der zunehmend fragmentierenden Arbeitsteilung das männliche Bewußtsein differenziert und fragmentiert, während Frauen aufgrund ihrer geringeren Teilnahme an der Arbeitswelt eine größere innere Einheit bewahren könnten. Simmel erkennt zwar die Klassendifferentiation in den Beziehungen zwischen Frauen und Wirtschaftsbereich an, läßt jedoch den geschlechtsspezifisch unterschiedlichen Zugang zum Großstadtleben weitgehend unerwähnt.

Obwohl sich Simmel nur in begrenztem Umfang mit der Beziehung zwischen dem öffentlichen und privaten Bereich im städtischen Raum befaßt (auch seine Analyse der Prostitution könnte man im Lichte dieser Unterscheidung in neuer Weise interpretieren), und obgleich er das Thema des s t ä d t i s c h e n R a u m e s im Großstädte-Essay nicht anspricht, beschäftigt er sich in anderen Schriften viel umfassender mit räumlichen Beziehungen, nicht zuletzt in seinen zwei zentralen Aufsätzen zur Soziologie des Raumes und der Raumformen, die im selben Jahr wie »Die Großstädte und das Geistesleben« erschienen.[31] Diese Aufsätze behandeln zwar eher allgemeine Eigenschaften des sozialen Raumes als spezifische Merkmale der modernen Großstadt, doch die Diskussion der Affinität der Stadt mit »rationalistischen, mechanischen Lebensformen«, die Bedeutung des »leeren Raumes im Verhältnis zu räumlichen Grenzen und Interaktionen, das Einfassen des städtischen Raumes durch Grenzen, die soziale (räumliche) Trennlinie als Grenze unserer Kenntnis über andere und als Grenze zur Ausbildung des Anderen (und der exemplarischen Gestalt des Fremden) sowie die Überschreitung von Grenzen, die Bedeutung von Nähe und Distanz in städtischen Wechselbeziehungen bilden nur einige der Themen, die für die Ausbildung der sozialräumlichen Analyse der Großstadt von Bedeutung sind. In »Brücke und Tür«[32] wird die Bedeutung von innen und außen sowie von oben und unten als weiteren Kategorien der Raumanalyse entscheidend über die allgemeineren horizontalen und linearen Untersuchungen räumlicher Netzwerke hinaus erweitert. Angesichts des Schwerpunktes von Simmels Großstädte-Essay deutet wenig darauf hin, daß er an R e p r ä s e n t a t i o n e n der Großstadt interessiert wäre, doch ein weiteres Mal sind es Aufsätze wie »Über Kunstausstellungen« (1890) oder »Die Berliner Gewerbe-Ausstellung« (1896) [33], wo auch die Repräsentation der modernen Stadt thematisiert wird. Wie die Erscheinungsdaten dieser Aufsätze vermuten lassen, war die Repräsentation der Großstadt bereits vor dem Essay ein Anliegen. Diese früheren Aufsätze untersuchen einige der Formen, in denen sich das städtische Leben präsentiert. Ausstellungen kultureller oder wirtschaftlicher Produkte sind Formen der Darstellung und Ausstellung unserer Sachkultur. Die symbolischen Repräsentationen der Großstadt in Kunst- und Gewerbeausstellungen enthüllen laut Simmel die ästhetischen Dimensionen der großstädtischen Glanzentfaltung zum Zwecke der Unterhaltung und des Genusses der dinglichen Eindrücke wie auch von äußeren (architektonischen) und inneren (Formen der Darbietung) Modi, die dingliche Welt zur Schau zu stellen. Im Aufsatz über Kunstausstellungen postuliert Simmel eine Wechselbeziehung zwischen Kunstausstellungen und der Großstadt:

> Gerade das Specialistentum unserer Zeit erzeugt das Hasten von einem Eindrucke zum andern, die Ungeduld des Genießens, das problematische Trachten, in möglichst kurzer Zeit eine möglichst große Summe von Erregung, Interessen, Genüssen zusammenzupressen. Die Buntheit des großstädtischen Lebens auf der Straße wie in den Salons ist von dieser durchgehenden Strebung sowohl Ursache wie Folge, und die Kunstausstellungen fassen sie für ein engeres Gebiet symbolisch zusammen.[34]

Ähnlich analysiert er die Berliner Gewerbe-Ausstellung von 1896 als hypnotische Ansammlung einer Unzahl von Waren, die eine überwältigende Quelle von Vergnügungen und Anreiz zum Genuß vielfältiger Eindrücke bilden. Die Ausstellung bietet dadurch zum Teil Zuflucht vor der Monotonie des Produktionsprozesses.

> Es scheint, als ob der moderne Mensch für die Einseitigkeit und Einförmigkeit seiner arbeitsteiligen Leistung sich nach der Seite des Aufnehmens und Genießens hin durch die wachsende Zusammendrängung heterogener Eindrücke, durch immer rascheren und bunteren Wechsel der Erregungen entschädigen wolle. Die Differenzierung der

aktiven Provinzen des Lebens ergänzt sich offenbar durch umfassende Mannigfaltigkeit seiner passiven und rezeptiven.[35]

Solche Schaustellungen und Repräsentationen der Warenwelt sind, so wie unsere Wahrnehmung von Modernität, nie von Dauer. Simmel unterstreicht die Bedeutung der temporären Ausstellungsarchitektur, eines spezifischen Architekturstils der Vergänglichkeit. Die Ausstellungsgebäude

> [...] tragen durchaus den Charakter einer Schöpfung für die Vergänglichkeit; weil ihnen dieser unmißverständlich aufgeprägt ist, wirken sie absolut nicht unsolid; [...] Es ist die bewußte Verneinung des Monumentalstiles, die hier eine ganz neue positive Gestaltung ergeben hat. Wenn es sonst der Sinn aller Kunst ist, an vergänglichem Materiale die Ewigkeit der Formen zu verkörpern, wenn gerade in der Baukunst sonst das Ideal der Dauer zur Verwirklichung und zum Ausdruck strebt – so formt hier der Reiz und Duft der Vergänglichkeit einen eigenen Stil.[36]

In Struktur (Form) und Inhalt dient die Ausstellung der Repräsentation sowohl der Grundzüge des Großstadtlebens als auch der Großstadt selbst (mittels ihrer kulturellen und ökonomischen Produkte).

Diese Ausstellungsrezensionen befassen sich zum Teil auch mit einer weiteren Dimension des Großstädte-Essays, nämlich der Ä s t h e t i k der Stadt. Untersuchungen zur Stadtästhetik finden sich in anderen Aufsätzen, Texten über Rom, Florenz und Venedig, jedoch nicht in solchen über die moderne Großstadt.[37] So erklärt Simmel in seinem Rom-Aufsatz mit dem Untertitel »Eine ästhetische Analyse«:

> »Ich darf die Theile von Rom, die von ununterbrochener Modernität und ebenso ununterbrochener Abscheulichkeit sind, ganz außer Betracht lassen; denn sie liegen zum Glück so, daß sie den Fremden bei einiger Vorsicht verhältnismäßig wenig tangieren.«[38]

Ein solches Urteil untermauert die an anderer Stelle bekräftigte Meinung, daß die moderne Großstadt nicht dieselbe Art von ästhetischer Anziehungskraft besitzt wie die italienischen Städte. Hier ergeben sich sogar Affinitäten zu Camillo Sittes Gegenüberstellung der modernen Stadt und der italienischen Renaissance- und Barockstädte. Die Ästhetik des modernen Großstadtlebens dürfte eher im Vorherrschen des Sublimen, in der Symmetrie der Verhältnisse (einschließlich des Straßennetzes) und in der Ästhetisierung der Wirklichkeit liegen, die in einem anderen Zusammenhang allesamt auch mit unserer Erfahrung der kapitalistischen Geldwirtschaft übereinstimmen.[39] Andererseits wird die Rolle der Stadt als S c h a u s p i e l und Ort der Z e r s t r e u u n g e n sowohl in Bezug auf die Untersuchungen der Ausstellungen deutlich, als auch im Hinweis auf die überwältigend mannigfachen Dimensionen der objektiven Kultur, die dem sinnlichen und anderen Genuß offen stehen. Die Großstädte sind »die eigentlichen Schauplätze« dieser Kultur:

> »Hier bietet sich in Bauten und Lehranstalten, in den Wundern und Komforts der raumüberwindenden Technik, in den Formungen des Gemeinschaftslebens und in den sichtbaren Institutionen des Staates eine so überwältigende Fülle krystallisierten, unpersönlich gewordenen Geistes, daß die Persönlichkeit sich sozusagen dagegen nicht halten kann. Das Leben wird ihr einerseits unendlich leicht gemacht, indem Anregungen, Interessen, Ausfüllungen von Zeit und Bewußtsein sich ihr von allen Seiten anbieten und sie wie in einem Strome tragen, in dem es kaum noch eigener Schwimmbewegungen bedarf.«[40]

Die Formen großstädtischer Freizeitgestaltung – »Ausfüllungen von Zeit und Bewußtsein« und Formen des Konsums, in denen man »wie in einem Strome« weitergetragen wird (Benjamin sollte das später zu einem Traum vertiefen) – sind in äußerst modernen Modi der Konzeptualisierung angesiedelt. Die ewige Suche nach stets neuen Anregungen, Vergnügungen, Eindrücken, ja nach dem absolut Neuen, welche die modernen Großstadterfahrungen kennzeichnen, mündet nicht nur in der modernen Freizeitkultur. In seinen Aufsätzen über Prostitution und die Berliner Vergnügungsstätten konstatiert Simmel, daß das, was für die einen F r e i z e i t v e r g n ü g e n ist, für andere (zum Beispiel für jene, die das Vergnügen liefern) A r b e i t darstellt.[41] Der Prozeß, in dem alles zur Ware wird, läßt sich auf alle menschlichen Produkte und Erfahrungen ausdehnen.

Sogar die höchste Form urbaner Zerstreuung – die Flucht aus der Stadt – erweist sich als eng mit ihr verbunden. Für Simmel ist der langfristige Rückzug aus der Großstadt (wie jener in eine Künstlerkolonie) etwas Unrealistisches, unter anderem deshalb, weil sich der Einfluß der Großstadt bis weit ins Hinterland erstreckt. Ebenso teilte er nicht den von vielen zeitgenössischen Intellektuellen, besonders den »Prediger[n] des äußersten Individualismus, Nietzsche voran«[42] gehegten Haß gegen die Großstadt. Dieser bei urbanen Intellektuellen häufig so beliebte äußerste Individualismus läßt sich auch fern der großstädti-

schen Zentren finden. In »Alpenreisen« (1895) setzt sich Simmel
mit dem alpinen Massentourismus auseinander, der durch
die »raumüberwindende Technik« der Eisenbahn ermöglicht
wurde.[43]

IV

Wie aus der bisherigen Beweisführung hervorgeht, lassen sich
die meisten Lücken in Simmels Großstädte-Essay durch Quer-
verweise auf andere Simmel-Texte schließen. Abschließend sei
noch knapp aufgezeigt, daß auch in einem der Schlüsselthemen
des Essays – der Beziehung zwischen dem großstädtischen Geistesleben und den Formen der sozialen Wechselbeziehungen in
der Großstadt – einige meist wenig beachtete Dimensionen zu
finden sind.

Simmel selbst behauptet, daß einer der Hauptzüge des Großstadtlebens die dramatische »Steigerung des Nervenlebens« sei,
was es notwendig mache, sich auf das innere oder Geistesleben
der Großstadt zu konzentrieren. Dieser thematische Schwerpunkt ergibt zwei Fragen. Erstens jene nach einem möglichen
Zusammenhang zwischen der Erforschung des Innenlebens der
Großstadt und dem viel umfassenderen Entwurf der Modernität
in Simmels Werk (Simmel verweist den Leser des Essays auf
seine eingehendere Untersuchung der entwickelten Geldwirtschaft). Tatsächlich ist es die Konzentration auf das Innenleben,
die im Zentrum seiner einzigen »Definition« der Modernität
steht: Im Aufsatz über Rodin bewundert Simmel dessen Fähigkeit, das endlose Fließen des modernen Lebens in der (augen-
scheinlich s t a t i s c h e n) Marmorskulptur wiederzugeben und
definiert in diesem Zusammenhang Modernität folgendermaßen:

> »[...] das Wesen der Moderne überhaupt ist Psychologismus, das Erle-
> ben und Deuten der Welt gemäß den Reaktionen unsres Inneren und
> eigentlich als einer Innenwelt, die Auflösung der festen Inhalte in das
> flüssige Element der Seele, aus der alle Substanz herausgeläutert ist,
> und deren Formen nur Formen von Bewegungen sind.«[44]

An keinem anderen sozialräumlichen Ort treten »die vielspälti-
gen, vibrierenden« Dimensionen der Modernität so deutlich in
Erscheinung wie in der modernen Großstadt. Kreuzt man Simmels Definition von Modernität mit seiner Beschreibung des Innenlebens des Stadtbewohners, dann tritt klar die Großstadt als

Sitz der Modernität hervor. Gleichzeitig bildet die Großstadt auch das Zentrum der Geldwirtschaft, deren Einfluß über die Stadtgrenzen hinaus in der gesamten kapitalistischen Gesellschaft wirkt.

Hier, in seinen Analysen der zwei miteinander verschränkten Orte der Modernität – der modernen Großstadt und der entwickelten Geldwirtschaft – untersucht Simmel die internen Konsequenzen dieser Orte und Modi sozialer Interaktion. Speziell jene Phänomene, die anderen als p a t h o l o g i s c h e Manifestationen der Modernität in der Großstadt und der (kapitalistischen) Geldwirtschaft erscheinen mögen, betrachtet Simmel als Merkmale unserer Vergesellschaftung in solche Interaktionsnetzwerke. Die Vergesellschaftung in Formen der entfremdeten Existenz geht einher mit der Verdinglichung sozialer Beziehungen im Geldverkehr und schafft über Abstraktion, Funktionalisierung (Instrumentalisierung) der Sozialbeziehungen und über die Tendenz der Menschenkultur, sich zur Sachkultur zu wandeln, eine Welt des Anderen. Unsere entfremdeten Beziehungen zur Welt der Dinge und ihrer Räume werden in der *Philosophie des Geldes* nicht nur mit der Ausbildung der »Blasiertheit« gegenüber Dingen und den anderen in Verbindung gebracht, sondern auch mit N e u r a s t h e n i e , Ü b e r e m p f i n d l i c h k e i t und P l a t z a n g s t . Umgekehrt impliziert auch die Identifikation unserer Erfahrung der Modernität mit unmittelbaren Repräsentanten, deren Merkmale in der Gestalt des Abenteurers als der völlig ahistorischen Person untersucht werden, eine Tendenz zur Amnesie, eine Konzentration auf die absolute Augenblicklichkeit.

Eine weitere Frage, die sich mit der Konzentration auf das Geistesleben in der modernen Großstadt erhebt, ist jene nach den Beziehungen zwischen diesem Innenleben und unseren körperlichen Wechselbeziehungen in der Stadt. Unsere Befassung mit dem Geistesleben in Simmels Text könnte unsere Aufmerksamkeit davon ablenken, was er hier und anderswo über die Interaktion unseres Körpers in der Großstadt schreibt. Der Text selbst nimmt wiederholt auf den Körper Bezug. Die Formen unserer »leiblichen Existenz« wie auch unserer »Innerlichkeit« erfahren in der modernen Großstadt eine Veränderung. Im Einleitungsabsatz des Essays findet sich die Formulierung, daß der »Körper der Kultur nach seiner Seele« gefragt werde, was nur bedeuten kann, daß das Geistesleben durch das materielle und körperliche

Leben vermittelt wird. Die inneren Formen der Distanzierung von anderen, die Simmel eingehend behandelt, werden durch materielle Manifestationen, etwa in der Mode, ergänzt. Als Felder einer komplexen Arbeitsteilung auf dem Gebiet der Produktion, des Austausches und des Konsums beschränkten sich die dadurch hervorgerufenen Konflikte nicht nur auf das Geistesleben, nicht zuletzt, weil »das Stadtleben den Kampf für den Nahrungserwerb mit der Natur in einen Kampf um den Menschen verwandelt hat.«[45] Ebenso wie auf anderen großstädtischen Schauplätzen steht auch hier die Konfrontation mit dem Anderen an oberster Stelle.

Diese Thematik durchzieht den gesamten Großstädte-Essay und unter anderem auch die Texte über die soziale Begrenzung, die Soziologie der Sinne und den »Fremden«.[46] Wir sind zum Teil von unseren trainierten (sozialisierten) Sinnen abhängig, um die Merkmale des Anderen wahrzunehmen. In der Großstadt mit ihrer beschleunigten und konzentrierten Mobilität der Individuen treffen wir in Blicken, Gerüchen etc. massiv auf die wechselseitige Überschreitung der Grenzen des Anderen. Dennoch setzt dieses Wuchern der Interaktion in der Großstadt nicht nur die Kenntnis der anderen und bestimmte Formen des Geisteslebens voraus, sondern es gibt im Kreislauf und in den Interaktionen der Individuen auch einen Kreislauf und eine Interaktion der Körper, des »Körperlebens«. Dennoch erstreckt sich die Wirkung des Körpers, wie die der Stadt selbst, weit über seine Grenzen hinaus auf andere.

> Wie ein Mensch nicht zu Ende ist mit den Grenzen seines Körpers oder des Bezirkes, den er mit seiner Thätigkeit unmittelbar erfüllt, sondern erst mit der Summe der Wirkungen, die sich von ihm aus zeitlich und räumlich erstrecken: so besteht auch eine Stadt erst aus der Gesamtheit der über ihre Unmittelbarkeit hinausreichenden Wirkungen. Dies erst ist ihr wirklicher Umfang, in dem sich ihr Sein ausspricht.[47]

Laut Gert Mattenklott läßt sich diese komplexe Affinität zwischen Körper und Stadt durch Simmels Aufsatz von 1901, »Die ästhetische Bedeutung des Gesichts«, beleuchten, da es sich beim Gesicht um eine entscheidende Dimension der Körpersprache handelt, deren Wirkung weit über die Körpergrenzen hinausreicht.[48] Mit einem Minimum an Energieaufwand arbeitet das Auge – »es bohrt sich ein, es flieht zurück, es umkreist einen Raum, es irrt umher, es greift weit hinter den begehrten Gegen-

stand und zieht ihn an sich«. Ein solches Auge ist wesentlich für
das Lesen des »Gesichtes in der Menge«, für die versteckten Aktivitäten des Geheimdetektivs (engl. *private eye*) und für die mi-
nimalen Interaktionen der Vermeidung von Augenkontakt in öffentlichen Verkehrsmitteln. Die Versachlichung, der wir in diesen großstädtischen Interaktionen begegnen, könnte laut Mattenklott eine spezifische Sehweise erfordern. Es könnte die Sehweise

> »[...]einest Jägers sein: höchst beweglich und dabei unbewegt; rege,
> aber nicht gerührt; alles ergreifend, selbst nie ergriffen. Es ist das
> ideale Auge des Städters und des Soziologen. Als dieser fragt Simmel
> nicht nach dem Inhalt von Tätigkeiten oder Sachen, von Herrschaft
> oder Ausbeutung, sondern nach den funktionalen Zusammenhängen.
> So kehrt dort der Körper als eine soziale Maschine wieder. Die Leib-
> vorstellung tröstet mit dem Phantasma eines einheitlichen Ganzen.
> Das maschinelle Funktionieren befriedigt das wissenschaftliche Be-
> dürfnis nach Sachlichkeit. Damit der physiognomische Blick, der die
> Gesellschaft dementsprechend als einen organischen Körper wahrneh-
> men soll, nicht immer wieder von einzelnen Inhalten gefangengenom-
> men wird, muß er sich immunisieren gegen Sympathie oder Abnei-
> gung: ein kaltes Auge.«[49]

Das ist die Reaktion auf die »rasche Zusammendrängung wech-
selnder Bilder, der schroffe Abstand innerhalb dessen, was man
mit einem Blick umfaßt, die Unerwartetheit sich aufdrängender
Impressionen«,[50] die mit der « S t e i g e r u n g   d e s   N e r v e n -
l e b e n s « in der modernen Großstadt einhergehen.
Diese Konzentration auf das Nervenleben in der Großstadt ist
wohl die auffallendste von allen Dimensionen urbanen Lebens,
die Simmel in seinem Essay anspricht. Sie wird gleich nach der
Einleitung angeführt. An verschiedenen Stellen des Großstädte-
Texts und in der abschließenden einzigen Fußnote wird ein weiterer Zusammenhang angeschnitten – jener zwischen dem Geist
der Großstadt und dem Geist des Kapitalismus, oder zumindest
mit der (implizit kapitalistischen) Geldwirtschaft. Simmels Analyse der Geldwirtschaft erforscht die Entwicklung einer spezifischen Kultur, die sich in ihren auftauchenden Kristallisationen
und flüchtigen Interaktionen als Verdichtung manifestiert, in
den Prozessen der Vergesellschaftung als Kultivierung und im
dramatischen Anstieg der objektiven Kultur auf Kosten der subjektiven Kultur sowie im dialektischen Wechselspiel zwischen
Persönlichkeitskultur und Sachkultur. In gleicher Weise eröffnet
auch die Untersuchung der modernen Großstadt in »Die Groß-

städte und das Geistesleben« – zusammen mit den vielen anderen Texten, die sich mit dem Essay überschneiden – neue Wege, nicht nur das Geistesleben der Großstadt und damit verbundene Interaktionsformen, sondern auch ihre materielle Kultur zu analysieren.[51]

ANMERKUNGEN

[1] Der Vortrag wurde am 21. Februar 1903 in Dresden gehalten.

[2] Siehe zum Beispiel den *Dresdner Anzeiger* vom 24. Februar 1903.

[3] G. Simmel, »Die Großstädte und das Geistesleben«, *Die Großstadt: Vorträge und Aufsätze zur Städteausstellung. Jahrbuch der Gehe-Stiftung zu Dresden,* Hg. Th. Petermann, 9, 1903, S. 185–206. Abruck in *Georg Simmel: Gesamtausgabe,* Hg. R. Kramme, A. Rammstedt u. O. Rammstedt, Bd. 7, (Frankfurt am Main: Suhrkamp, 1995), S. 116–131.

[4] G. Simmel, »The Metropolis and Mental Life«, *The Sociology of Georg Simmel,* Hg. K. H. Wolff (Glencoe: Free Press, 1950), S. 409–424.

[5] G. Simmel, »The Metropolis and Mental Life«, *George Simmel on Individuality and Social Forms,* Hg. D. N. Levine (Chiciago: Chicago University Press, 1971), S. 324–339.

[6] Eine der jüngsten Studien zur Simmel-Rezeption in den USA stammt von Gary D. Jawarski, *Georg Simmel and the American Prospect* (Albany: State University of New York Press, 1997).

[7] Diese kleine Zeitschrift veröffentlichte zwei von Simmels Aufsätzen: »Tendencies in German Life and Thought Since 1870«, *International Monthly,* 5, 1902, S. 93–111, 166–184; »Fashion«, *International Quarterly,* 10, 1904, S. 130–155.

[8] Parks Vorlesungsmitschriften wurden in Chicago in deutscher Sprache publiziert: *Soziologische Vorlesungen von Georg Simmel: Gehalten an der Universität Berlin im Wintersemester 1899* (Chicago: University of Chicago, 1931). Zu Parks Stellung innerhalb der Chicago School siehe Rolf Lindner, *Die Entdeckung der Stadtkultur* (Frankfurt am Main: Suhrkamp, 1990).

[9] Howard Woodhead, »The First German Municipal Exposition (Dresden 1903)«, *American Journal of Sociology,* 1904, S. 433–458, 612–650, 812–831, x 47–63.

[10] Siehe D. N. Levine, »Howard Woodhead«, *Simmel Newsletter,* 3, 1, 1993, S. 74–78.

[11] Siehe R. Park und E. W. Burgess, *The City* (Chicago: University of Chicago Press, 1967 [1925]), S. 219.

[12] S. Kracauer, »Georg Simmel«, *Ornament der Masse* (Frankfurt am Main: Suhrkamp, 1963), S. 218.

[13] G. Simmel, »Die Großstädte und das Geistesleben«, *Gesamtausgabe,* 7, S. 131.

[14] G. Simmel, »Über Kunstausstellungen«, *Unsere Zeit,* 26, Februar 1890, S. 474–480.

[15] G. Simmel, »Über räumliche Projektionen socialer Formen«, *Zeitschrift für*

Sozialwissenschaften, 6, 1903, S. 287–302; id., »Soziologie des Raumes«, *Jahrbuch für Gesetzgebung, Verwaltung und Volkswirtschaft*, 27, 1903, S. 27–71.

[16] G. Simmel, »Die Kreuzung sozialer Kreise«, *Soziologie: Untersuchungen über die Formen der Vergesellschaftung* (1908); Abdruck in *Georg Simmel: Gesamtausgabe*, Bd. 11, Hg. O. Rammstedt (Frankfurt am Main: Suhrkamp, 1992), S. 456–511.

[17] Zur Rolle der Leipziger Schule in diesem Kontext siehe Woodruff D. Smith, *Politics and the Science of Culture in Germany 1849–1920* (New York: Oxford University Press, 1911), Kap. 11.

[18] G. Simmel, »Karl Bücher: Arbeit und Rhythmus«, *Psychologie und Physiologie der Sinnesorgane*, 15, 1897, S. 321.

[19] Emile Durkheim, »Simmel«, *l'année sociologique*, 7, 1902-3, S. 646-647.

[20] *Die Großstadt, Jahrbuch der Gehe-Stiftung zu Dresden*, 9, 1903, Vorwort.

[21] Zit. in K. C. Köhnke, *Der junge Simmel – in Theoriebeziehungen und sozialen Bewegungen* (Frankfurt am Main: Suhrkamp, 1996), S. 142.

[22] G. Simmel, »Berliner Gewerbe-Ausstellung«, *Die Zeit*, 25. Juli 1896; s. auch *Georg Simmel in Wien. Texte und Kontexte aus dem Wien der Jahrhundertwende*, Hg. D. Frisby (Wien: Wiener Universitätsverlag, 2000), 5, S. 64–68.

[23] Siehe *Dresdner Anzeiger*, op. cit.

[24] Siehe W. Benjamin, *Berliner Kindheit um Neunzehnhundert* (Frankfurt am Main: Suhrkamp, 1987); id., »Berliner Chronik«, *Walter Benjamin: Gesammelte Schriften* (Frankfurt am Main: Suhrkamp, 1985), Bd. 4, S. 465–519.

[25] G. Simmel, *Soziologie*, S. 160–283; 284–382, 456–511.

[26] Simmel, *Soziologische Vorlesungen*, S. 50.

[27] Siehe G. Simmel, »Zur Philosophie der Herrschaft«, *Jahrbuch für Gesetzgebung, Verwaltung und Volkswirtschaft*, 31, 1907, S. 439–471; id., »Soziologische Ästhetik«, *Die Zukunft*, 17, 1896, S. 204–216.

[28] Siehe Simmel, *Soziologische Vorlesungen*, S. 39.

[29] *Ibid.*, S. 19.

[30] G. Simmel, »Weibliche Kultur«, *Neue Deutsche Rundschau*, 13, 1902, S. 504–515.

[31] Siehe Anm. 15.

[32] G. Simmel, »Brücke und Tür«, *Der Tag*, Berlin, 15. September 1909.

[33] Siehe Anm. 14 u. 22.

[34] Simmel, *Über Kunstausstellungen*.

[35] Simmel, »Berliner Gewerbe-Ausstellung«, S. 65.

[36] *Ibid.*, S. 66.

[37] G. Simmel, »Rom: Eine ästhetische Analyse«, *Die Zeit*, 28. Mai 1898; siehe auch *Simmel in Wien*, Hg. D. Frisby; G. Simmel, »Florenz«, »Venedig«, *Philosophie der Kunst* (Potsdam: Kiepenheuer, 1922), S. 61–66, 67–73.

[38] Simmel, »Rom«.

[39] Siehe D. Frisby, »The Aesthetics of Modern Life«, *Simmel and Since* (London: Routledge, 1992), Kap. 8.

[40] Simmel, »Die Großstädte und das Geistesleben«, *Gesamtausgabe*, S. 130.

[41] Siehe »Infelices Possidentes«, *Die Zukunft*, 3, 1893, S. 82–84.

[42] Simmel, »Die Großstädte und das Geistesleben«, *Gesamtausgabe*, S. 130.

[43] G. Simmel, »Alpenreisen«, *Die Zeit*, 13. Juli 1895; siehe auch *Georg Simmel in Wien*, Hg. D. Frisby, S. 31–34.

[44] G. Simmel, »Rodin«, *Philosophische Kultur* (Leipzig: Klinkhardt, 1911), S. 196.

[45] Simmel, »Die Großstädte und das Geistesleben«, *Gesamtausgabe*, S. 128.

[46] Die Aufsätze über die »soziale Begrenzung«, »Soziologie der Sinne« und »den Fremden« sind allesamt als Exkurse in Simmels Analyse »Der Raum und die räumlichen Ordnungen der Gesellschaft« verankert. Siehe Simmel, *Soziologie*, S. 698–702; 722–742; 764–771.

[47] Simmel, »Die Großstädte und das Geistesleben«, *Gesamtausgabe*, S. 127.

[48] G. Mattenklott, »Der mythische Leib: Physiognomisches Denken bei Nietzsche, Simmel und Kassner, *Mythos und Moderne*, Hg. K. H. Böhrer (Frankfurt am Main: Suhrkamp, 1983), S. 138–156.

[49] Mattenklott, »Der mythische Leib«, S. 147.

[50] Simmel, »Die Großstädte und das Geistesleben«, *Gesamtausgabe*, S. 117.

[51] Die frühe Entwicklung von Simmels Kulturbegriff wird von Köhnke, *Der junge Simmel*, 1996, untersucht. Zur Simmelschen Kultursoziologie im zeitgenössischen Kontext siehe K. Lichtblau, *Kulturkrise und Soziologie um die Jahrhundertwende* (Frankfurt am Main: Suhrkamp, 1997). Eine knappe Erörterung des Kulturbegriffs findet sich in meiner Einleitung zu *Simmel on Culture*, Hg. D. Frisby und M. Featherstone (London: Sage, 1997). Zu Simmels Analyse der Großstadt siehe mein *Cityscapes of Modernity: Critical Explorations* (Cambridge: Polity, 2001).

Camillo Sitte

FOTO: BILDARCHIV, ÖNB WIEN

Städtebautheorie als Kulturtheorie – Camillo Sittes »Der Städtebau nach seinen künstlerischen Grundsätzen«

KARIN WILHELM

Der Prozeß der Verstädterung hat in der zweiten Hälfte des 19. Jahrhunderts die Theorie des Städtebaus in zwei Lager gespalten, das eine, das die häufig beamteten Stadttechniker bildeten und das andere, das die freien Künstlerarchitekten beanspruchten. Diese Entwicklung vollzog sich vor dem Hintergrund jener raschen Konzentration von Menschenmassen und zunehmend industriell produzierten Warenmengen in den Städten, die mit Beginn des Jahrhunderts nicht nur die Auflösung der traditionellen Gesellschaftsstrukturen eingeleitet hatte, sondern die deutlich werden ließ, daß dieser Umstrukturierungsprozeß zuerst allmählich, sodann in dynamischer Progression auch die Entwertung der gewachsenen, stadträumlichen Areale nach sich zog. Dieser großflächig betriebene technische Umbau der europäischen Städte und ihrer öffentlichen und privaten Lebensräume hat den Städtebaudiskurs des späten 19. und frühen 20. Jahrhunderts konturiert, er hat sich gleichsam dichotomisch zwischen pragmatisch funktionalistischen und zivilisationskritischen Problemstellungen manifestiert, um als akademische Disziplin im Feld der praktischen Planung einzugreifen. In diesem Kontext war es der künstlerisch begründete Städtebau, der zu Bewußtsein brachte, daß mit der Auflösung und Entwertung der gewachsenen räumlichen Stadtfiguren nicht nur ein entwicklungsgeschichtlicher Transformationsprozeß der Stadt in Gang gesetzt worden war, sondern daß ein tiefgreifender kultureller Bruch entstand, der mit den Lebensräumen auch die überschaubargefügten Raum-Zeit-Erfahrungen der Stadtbewohner, also deren Verhaltensmuster erfaßt hatte. Dieses Bewußtsein konnte sich auf der Folie des historischen Wissens formieren, das mit der Wertigkeit des Klassischen nicht allein die stilistische Vergleichbarkeit der historischen städtebaulichen und architektonischen Programme betrieb, sondern darüber hinaus die Aufmerksamkeit dafür schärfte, daß sich die zivilisierenden Werte der europäischen Stadtstruktur selbst dramatisch und grundlegend zu verändern begonnen hatten. Richard Sennett hat in seinem 1990 erschienenen Buch, mit dem anschaulichen, englischen Titel »The Conscience of the Eye. The Design and Social Life of Cities« diese Entwicklung als Bruch mit einer sinnlich vermittelten Sinnstiftungsqualität der traditionellen, vormodernen Stadträume beschrieben. Am Beispiel des Verlustes der räumlichen Überschaubarkeit betonte Sennett die ethische Komponente, die den traditionellen Stadträumen und deren Gebäuden zu eigen war. Unter der Überschrift »Das Gewissen des Auges«, stellte er seiner Untersuchung einleitend voran: »Die alten Griechen konnten die Komplexität des Lebens mit den Augen sehen. Die Tempel, die Märkte, die Stadien, die Versammlungsorte, die Mauern, die öffentlich sichtbaren Statuen und Bilder der antiken Stadt, sie alle verkörperten die Wertvorstellungen dieser Kultur in bezug auf Religion, Politik und Familie.«[1] Diesen Verlust der anschaulichen, räumlich-architektonischen Repräsentation der »Civitas« hat die Theorie des Wiener Städtebaus bereits um 1900 beispielhaft beschrieben und in der Person Camillo Sittes eine Leitfigur dieser Disziplin hervorgebracht, die im Gegensatz zur technisch-funktionalen Städtebauauffassung auf die Bedeutung des materialen-ästhetischen Bestandes der gewachsenen Stadträume und ihrer Bauten hinwies. Sitte klassifizierte sie als Signaturen und Symbolformen kultureller Standards, die in ihrer strukturellen Formation und nicht als historische Kopien für die modernen Lebenswelten zu retten waren – ein Sachverhalt auf den Françoise Choay hingewiesen hat[2] –, denn in ihrer räumlichen Signifikanz erkannte Sitte einen normativen Wert zur Ausbildung einer humanistisch geprägten, modernen Stadtkultur. Wenngleich Sittes Position, sofern man sie in ihrer vordergründigen, retrospektiven Historizität las, immer als schillernd betrachtet wurde und dies bis heute wird, so hat er doch mit Nachdruck den Blick auf die Entwicklung der modernen Industriestadt und deren Produktion als auf einen Ort gelenkt, der die sozialen und individuellen Orientierungsmuster der modernen Gesellschaften räumlich neu zu präformieren begonnen hatte und, so seine These, dadurch neuartige kulturelle Verhaltensmuster der Stadtbewohner konstituierte. Sein Buch »Der Städtebau nach seinen künstlerischen Grundsätzen aktivierte mithin die Kenntnis, daß ».. . die Stadt. . . – wie Marsilio Ficino sagte – nicht aus Steinen(...), sondern aus Menschen« bestehe. »Sie ist nicht die Dimension einer Funktion, sie ist die Dimension der Existenz.«[3]

MODERNISIERUNG UND KULTURDIAGNOSE

Im Kreise der Wiener Moderne hat Camillo Sitte stets einen schweren Stand gehabt. Entweder man verweigerte ihm seinen Platz im Reigen der modernen Architekten und Stadttheoretiker, da sein ästhetischer Traditionalismus und Konservativismus auf der Hand zu liegen schien, oder aber man widmete sich ihm, wie Carl Schorske dies durchaus nachvollziehbar getan hat, als »sehnsuchtsdurchtränktem«[4] Romantiker, der mit dem Blick des Historisten die Zeichen der heraufziehenden Moderne als weltverlorener Propagandist eines rückwärtsgewandten, handwerklich orientierten Motiv- und Bauverständnisses entgegentrat und daher zum Phänomen der Architekturmoderne Wiens eigentlich nicht zu rechnen sei. Mir scheint, daß diese Lesart der theoretischen Arbeit Sittes bei aller Sinnfälligkeit dennoch zu kurz greift, da sie den wissenschaftsgeschichtlichen Kontext, in dem Sitte dachte und argumentierte, nicht hinreichend berücksichtigt. Denn liest man Camillo Sittes 1889 erstmals erschienenes Buch »Der Städtebau nach seinen künstlerischen Grundsätzen« in diesem Rahmen einmal nicht allein unter dem Gesichtspunkt der stilgeschichtlichen Stadt- und Architekturanalyse, richtet man vielmehr die Aufmerksamkeit auf die im Buch enthaltene Kulturdiagnose, so erweist sich Sitte sehr wohl als ein Teilhaber der Wiener Moderne, wie sie Jaques Le Rider kürzlich definiert hat, nämlich »...als das kritische Bewußtsein der von der Modernisierung verursachten Krisen...«[5] Le Rider hat die eigenwillige Sensibilität, mit der die Wiener Künstler und Intellektuellen die Modernisierung als Krisenerscheinung kommentierten, dem länger währenden »prämodernen Zustand« der österreichischen Gesellschaft verbunden. »In dieser Situation erweisen sie (die Wiener Künstler, K.W.) sich als besonders sensitiv für jene Krisen, die durch einen beschleunigten Modernisierungsprozeß in allen Lebensbereichen seit dem Ende des 19. Jahrhunderts verursacht wurden.«[6] Diese Eigentümlichkeit der pessimistischen

Distanz zum Prozeß der Modernisierung sei, so Le Rider, zudem
Anlaß der geschärften Aufmerksamkeit geworden, wie sie die
Postmoderne dem Phänomen der Wiener Moderne gegenüber
später gezeigt habe, ein Sachverhalt, den auch die Wertschätzung Camillo Sittes durch den postmodernen Städtebau bestätigt. Wenn auch nicht in jener Radikalität, die Le Rider mit
einer Aussage Jean Clairs nahelegt: »...daß die Kunstgeschichte
des 20. Jahrhunderts noch zu schreiben sei, wenn man erst einmal den Konformismus abgeworfen habe, der bislang für die
Werke vom Anfang des Jahrhunderts allein den Maßstab eines
Wegs zur Abstraktion gelten ließ ...«[7], so ist gewiß eine Neubewertung jenes durch Camillo Sitte repräsentierten Ansatzes zu
leisten, weil seine städtebauliche Modernisierungskritik die Wiedergewinnung und Neuformulierung einer kulturtheoretisch orientierten Position im Feld des modernen Städtebaus begründet
hat. Die Bedeutung, die wir unter den Maßstäben der postmodernen Modernitätskritik Sitte daher zuschreiben müssen, erweist sich, wenn man sich ihm als Kulturdiagnostiker der Moderne widmet. Die Legitimität dieser Betrachtungsweise resultiert aus zwei Voraussetzungen: Zum einen hat Camillo Sitte in
seinem Buch ex negativo, d. h. aus der Kritik an der durch die
Ingenieure begründeten Planungspraxis des funktionalistischen
Städtebaus, in der Kritik an den sogenannten Hygienikern, die
Tendenzen der modernen Urbanisierung und die damit verbundene Ausbildung der »verstädterten Gesellschaft«, also jener, die
nach Henri Lefèbvre »...aus der Industrialisierung entsteht ...
und in deren Verlauf die alten Stadtformen zerfallen ...«[8] ebenso
klarsichtig beschrieben wie den damit verbundenen Verlust sozialer und politischer Identitäten im Raumgefüge der modernen
Stadt.[9] Und zum anderen repräsentiert sein Städtebaubuch
einen diskursiven Schnittpunkt zwischen Tradition und Moderne, worin das räumliche Strukturmodell der europäischen
Stadt als räumliche Organisation des zivilisierenden Handelns
im Umbruch thematisiert wurde. Sittes Städtebaubuch ist daher
ein hervorragendes Dokument jenes Prozesses vom »Wandel der
Kulturformen«[10], den Georg Simmel in dem Vortrag »Der Konflikt der modernen Kultur« 1918 als »Geschichte der Kultur«[11]
bezeichnet hat.

STADT DER SICHERHEIT UND DES GLÜCKS

George R.Collins und Christiane Crasemann Collins haben 1986
in ihrem Buch »Camillo Sitte: The Birth of Modern City Planning«[12] zuerst darauf hingewiesen, daß Sitte Zeit seines Lebens
an der Ausarbeitung einer umfassenden Kulturgeschichte gearbei-
tet hat, die die Religion, die Philosophie, die Kunst- und Naturwissenschaften, schließlich die Politik übergreifen sollte.
Wenngleich diese umfassende Darstellung nie zustande kam, so
ist doch das Buch zum Städtebau nach »künstlerischen
Grundsätzen« als ein Teilergebnis des Projektes anzusehen. Um
das Städtebaubuch Camillo Sittes als Gegenstand einer Geschichte der Cultural Studies zu beglaubigen, sei zudem auf Clifford Geertz zurückgegriffen, der in dem Aufsatz »Kulturbegriff
und Menschenbild« geschrieben hat: »Die Auffassung von Kultur als einer Vielzahl von »Kontrollmechanismen« geht von der
Voraussetzung aus, daß das menschliche Denken grundsätzlich
sowohl sozial als auch öffentlich ist – daß sein angestammter Ort
der Hof, der Marktplatz und der Stadtpark ist. Denken besteht
nicht aus Ereignissen im Kopf,..., sondern aus dem Verkehr »sig-
nifikanter Symbole«, wie G. H. Mead und andere es nannten;
dazu zählen hauptsächlich Worte, aber auch Gesten, Zeichnun-
gen, musikalische Geräusche, selbst mechanische Artefakte wie
Uhren oder natürliche Gegenstände wie Edelsteine – kurzum alles, was aus seiner bloßen Faktizität herausgelöst und dazu verwendet wird, unserer Erfahrung Sinn zu geben.«[13] Wie bei Sennett wird in dieser Aufzählung durch Geertz den Orten des kul-
turprägenden Denkens, den Räumen der Stadt, den Architek-
turräumen und den bildhaften Zeichen in diesen Räumen die
Funktion der sozialisierenden Sinnstiftung zugewiesen. Es sind
Orte, an denen die Kulturmuster, mithilfe derer sich die Menschen sinnlich und durch Erfahrung einander mitteilen, geprägt
und reproduziert werden, an denen sie ihre gemeinsamen Hand-
lungsmuster ausbilden und ihre Identitäten entwickeln. Camillo
Sitte hat diese Funktion der städtischen Orte vor dem Hintergrund des dramatischen Stadtumbaus Wiens seit Mitte des 19.
Jahrhunderts freigelegt, er hat dabei auf Positionen zurückgegriffen, die Leitthemen des bürgerlich-liberalen Selbstbewußt-
seins waren: die individuelle ästhetische Bildung und die politische Öffentlichkeit. Auf der Grundlage dieser durch Karl Fried-

rich Schinkel in Berlin und Gottfried Semper in Wien in die
Theorie der Architektur eingeführten Parameter hat Sitte vor
dem Hintergrund des Zerfalls der »politischen Stadt« (Henri Lefèbvre) noch einmal versucht, den Stadtraum als Bildungsraum
des bürgerlichen Menschen zu rekonstruieren und zugleich die
Stadt als Erfahrungsraum für die Sinne des modernen Städters
zu konstituieren.

Diese beiden Positionen hat Sitte in seinem Städtebaubuch miteinander verschränkt, um derart die Ausbildung von räumlich-
optischen Orientierungsmustern bereitzustellen, die die Herstellung einer Kultur des Glücks befördern sollten. Bereits in der
Einleitung hat Camillo Sitte diese Idee in Anlehnung an die Philosophie des Aristoteles betont. Selbstverständlich dürfen wir
den Einfluß Platons unterstellen, der in der »Politeia« die Stadt
zum paradigmatischen Zivilisierungsort erklärt hatte, zum Ort
der Affektregulation barbarischer, aggressiver Triebe.[14] Von dieser Vorstellung Platons wurde die Architekturtheorie der Renaissance nachhaltig beeinflußt, sie wirkte von hier in die Moderne
und ist vor allem im Traktat des Leon Battista Alberti aus der
Mitte des 15. Jahrhunderts fortgeschrieben worden. Albertis
ideale Stadt war ein Konglomerat aus pragmatischen, funktio-
nalen Setzungen und ästhetischen Reizen, die ihre sozialisie-
rende, d. h. eine ihr eingewobene ästhetische Kompetenz umso
leichter entfalten konnte, sofern sie in fruchtbaren, »gesegneten
Gebieten« gelegen war. Eine derart die Sinne anregende Stadt
erzeuge, so Alberti, »unkriegerische Menschen«.[15]

Diese Idee der Neuzeit, daß die Zivilisierung der aggressiv-krie-
gerischen Triebe und die Ausbildung einer Stadtkultur der Sicherheit und des Glücks in gleichsam sanfter Umgebung
gelänge, hat Sitte mit einem zeitgeistigen Verständnis angerei-
chert. Seine Vorstellung einer künftigen Glückskultur basierte
auf einem Modell geschlechtsspezifischer Handlungs- und Verhaltensmuster, die er 1875 in dem Essay »Richard Wagner und
die deutsche Kunst« kurz umrissen hat. Die moderne Welt, die
Sitte aus einer Dialektik von »Zerstörung und Neuschaffen« entstehen sah, hatte ihren eigenen neuen Heros geboren, den Welt-
veränderer, den faustischen Naturbezwinger, den, wie Sitte
schrieb, »Vorkämpfer moderner Naturanschauung«[16], dessen ge-
nialisches Naturell zuweilen zum politischen Übermaß, zur revolutionären Gewalt tendierte. Wenngleich dieser Typus als
Agent des Fortschreitens der Kultur wahre Achtung verdiente, so

vermochte dessen viriler Aktionismus allein kulturbildend, d. h.
im Sinne Simmels formschaffend und -erhaltend, nicht zu wirken. Seine männliche Ruhelosigkeit bedurfte vielmehr der beruhigenden Weiblichkeit, ebenso wie dies, in der Lesart Camillo
Sittes, Goethe im Faust und in dessen Nachfolge Richard Wagner im »Fliegenden Holländer« in den Figuren des Gretchen und
der Senta thematisiert hatten. Die Neuschaffung einer Kultur
des Glücks nämlich verlangte nach dem vom öffentlichen Handeln ausgeschlossenen, Ruhe gewährleistenden, weiblichen Vermögen. »Das Weib ist es, welches dem Helden nach siegreichem
Kampfe den Preis, den ihm das Volk spendet, überreicht. In ihm
findet der unstet Umhergetriebene das Einzige, das er sucht,
sein Heimathland ...Die Bedeutung des Weibes ist auch immer
dieselbe. Sie ist die Erlöserin, die Spenderin des Glückes.«[17] In
dieser Überlagerung des in der antiken Literatur begründeten
Glücksbegriffs der Ruhe mit der bürgerlichen Geschlechtscha-
rakterologie des Weiblichen erhielt in der weiteren Identifizie-
rung von »Weib« und dem der Idee der Nation verpflichteten
»Volk«, als der wahrhaft kulturbildenden Kraft[18], eine Bedeutung, die Sittes Intention der künstlerischen Städtebaus in seiner politischen Dimension kenntlich werden läßt. Sittes Aussage: »Das Weib ist seiner tief Innersten Natur nach conservativ,
es ist der wahrste und vollkommenste Repräsentant des
Volkes.«[19] dokumentiert seine Verweigerung jener revoltierenden
Attitüden, mit der noch der hochverehrte Richard Wagner das
Volk in der 1849 erschienenen Schrift »Das Kunstwerk der Zukunft« zum historischen Subjekt (v)erklärt hatte. Statt der de-
struktiven Revolutionäre verlangte Sitte nach der »... leuchten-
den Gestalt des segenspendenden Reformators.«[20] Mit dieser Figur beschrieb Sitte die eigene Programmatik, die in den praktischen Arbeiten ein tiefes Bekenntnis zum bürgerlichen Libe-
ralismus kenntlich werden ließen, das sich zwischen Sozialkritik
und ästhetisierter Aversion gegen die »Anarchie der Vorstadt«[21]
artikulierte. Die »Arbeiter-Kasernen«, so Sitte 1901, müßten
»...gegenwärtig als allgemein verworfen bezeichnet werden u.zw.
sowohl von Seite der Arbeiter, die sich nicht wie das liebe Vieh in
bloße Stallungen zusammenpferchen lassen wollen und auch
von Seite der finanziell besser gestellten Gesellschaftskreise,
welche einsehen lernten, daß eigene Arbeiterviertel überhaupt
die üppigsten Seuchenherde für sozialdemokratische Umtriebe
abgeben.«[22]

Mit Hinweisen auf die soziale und geschlechtsgebundene Differenz der modernen Kultur, hat Sitte durchaus vorausschauend jene Kulturdiskurse angesprochen, wie sie etwa Georg Simmel kurze Zeit später (1902) in seiner Untersuchung zur »Weiblichen Kultur« vorlegen sollte, wenngleich der Sachverhalt, »...daß die Kultur der Menschheit sozusagen nichts Geschlechtsloses ist,...«[23] durch den »verstehenden« Blick des Soziologen, nun von der patriarchalen Mythe befreit wurde, um im Begriff der »objektiven Kultur« die Differenz einer männlichen und weiblichen Kulturleistung zu fassen und die Debatte einer glückschaffenden Kultur vom männlichen Kopf auf die Füße der Frauenemanzipationsbewegung zu stellen. Auch der Ansatz, die moderne Stadt und deren Kultur vor dem Spiegel des glücklichen oder unglücklichen Bewußtseins zu reflektieren, bildete einen erkenntnisleitenden Nucleus für Kulturanalysen, wie sie zu Beginn des 20.Jahrhunderts von Georg Simmel in der Formulierung der »Kultur als Tragödie« vorgelegt oder durch Sigmund Freuds Diagnose vom »Unbehagen in der Kultur« thematisiert wurden. Noch Paul Valérys Krisendiagnose des europäischen Geistes, die, wie Freuds Analyse, durch die Erfahrungen des ersten Weltkrieges geprägt war, stand in diesem Kontext. [24]

BEDINGUNGEN DES CULTURAL TURN IN DER MODERNEN STÄDTEBAUTHEORIE

Die Eigentümlichkeit der Position Sittes diesen Kulturkritikern gegenüber, findet sich, neben der erkenntnisleitenden Methodik, unter anderem darin, daß Camillo Sitte zwar wie jene die Präformanz zum Unglück in den modernen, technischen Lebenswelten entdeckte, als Architekt aber, der sich als Künstler und damit als Geburtshelfer einer neuen Kultur verstand, nun ein reformatorisches Gegenmodell zu entwerfen suchte, das Raumformationen einer glückschaffenden städtischen Umwelt bereitstellen sollte. Die Intention des Städtebaubuches war also nicht allein die Zeitdiagnose, sondern erhob, ebenso wie das ideengeschichtlich noch wirksame große Vorbild, der Architekt Gottfried Semper es formuliert hatte, den Anspruch, eine »praktische Ästhetik« zu liefern, das Werk sollte also gleichfalls als Handbuch des Städtebaus lesbar sein. Schloß Sitte mit seiner Kulturdiganostik derart zu den Positionen der Soziologie und Psychologie auf und basierte seine Morphologie der Stadträume, d. h. die Untersuchung der städtischen Raumformen, der Plätze, Straßen und Fassaden auf den empirischen Daten, die er auf seinen vielen Reisen durch Europa zeichnerisch und in Studien gesammelt hatte, so blieb deren Interpretation dem philantropischen Bildungskanon verhaftet, wie er durch die Altertumswissenschaften und die Kunstgeschichte übermittelt wurde. Methodisch finden wir Sitte daher mit dem einen Fuß bereits diesseits der Grenze zum 20. Jahrhundert und mit dem anderen fest im 18. und frühen 19. Jahrhundert verharrend, ein intellektueller Spagat, der wohl auch dem Umstand zuzuschlagen ist, daß Sitte sich im Fadenkreuz unterschiedlichster Wissensfelder zu positionieren suchte. In dem Curriculum vitae, welches Sitte vermutlich anläßlich seiner Berufung von Salzburg nach Wien 1883 verfaßt hat, ist vermerkt, daß die Studien der Physik, Mathematik, der Mechanik und Maschinenlehre, der darstellenden und praktischen Geometrie, die er an der in den »Collegien ...am k. k. polytechnischen Institute in Wien« (ab 1863) absolvierte, später durch »Collegien an der philosophischen Facultät« ergänzt wurden. »Während dieser Zeit hörte ich fast alle kunstgeschichtlichen Fächer, ferner noch historische, ästhetische, philosophische, naturwissenschaftliche und mathematische Gegenstände.«[25] Sitte, der sich seit den späten 60er Jahren mit der »Lectüre der modernen deutschen Ästhetik von Kant an« ebenso befaßte wie mit der Physiologie, der die »vergleichende Anatomie«, der Darwin nannte und Haeckels »Schöpfungsgeschichte« nicht ausließ, der Goethes Farbenlehre und Fechners Psychophysik anführte, um mit dem Hinweis auf Hermann Helmholtz und Wilhelm Wundt die Reihe jener zu komplettieren, die im Fortschrittsfeld der modernen Naturwissenschaften die Weltsicht neu definierten, verwies gerade mit dem Hinweis auf die Vielfalt seiner Studien auf jene Kluft zwischen Natur- und Geisteswissenschaften, die sich im 19. Jahrhundert im Feld des Wissens aufgetan hatte.[26] Sittes Versuch einer abermaligen Zusammenführung von Natur- und Geisterkenntnis hat das Städtebaubuch geprägt und jenen cultural turn in der Theorie des modernen Städtebaus eingeleitet, den Sitte, wenn auch vage, im Begriff der »künstlerischen Grundsätze« bezeichnet hat. Um das Grundsätzliche dieser »künstlerischen Grundsätze« zu verstehen, muß man sich verdeutlichen, was Camillo Sitte als Gegenbild seiner Städtebauauffassung im Begriff des hygienischen Städtebaus seiner Zeit kritisierte, und welche Stadtstruktur er im Entstehen begriffen sah, der er die künstlerische Dimension absprach.

Camillo Sitte hat sein Städtebaubuch im Angesicht der ersten großräumigen Stadtentwicklungsplanung Wiens (seit 1857), der Ringstraße geschrieben, deren Konzeption auf der radikalen Entbindung von traditionellen Grenzlinien (Niederlegung der Mauer und des Glacis) basierte, also auf der weiträumigen Vastierung eines Stadtraumes zwischen der alten Kernstadt und den peripheren Vororten. Erstmals zeigte sich damit der großstädtische Maßstab der Weitflächigkeit im Wiener Stadtraum, der vom Augenmaß der Überschaubarkeit und des Kontextes Abstand nahm. Wenngleich dieser Maßstabssprung vom Augen- zum Übermaß im Bereich der Ringstraße erst in der horizontalen Flächengliederung sichtbar wurde, so kündete sich hinter dieser Planung bereits der Maßstabssprung in die Vertikale an, der sich im amerikanischen Baugeschehen jener Jahre bereits im großen Ausmaß vollzog. Sittes Kritik galt dieser neuen Raumordnung der Unanschaulichkeit, der, wie er schrieb, eine »ungeheure Größe« eigen sei, die sich als »endlose Raumleere«[27] zeige und die dergestalt ein bislang der wilden Natur vorbehaltenes Gefühl in den Stadtraum übertrug, die »Raumangst«, die einen entzivilisierenden Verwilderungsaspekt in sich trug.

Was Sitte beschrieb, war der Beginn der stadträumlichen Fragmentierung, denn die bereits errichteten oder größtenteils in Bau befindlichen Ringstraßenbauten erlebte er noch in einer unstrukturierten, auf den Block zugeschnittenen Weite als Einzelbauten ohne Zusammenhang, die in ihrer Isolation optisch eine einende Kraft der Sinngebung mehr vermittelten und dies, weil sie sich dem Kontext gebenden Augenmaß des Menschen zu entziehen schienen – Es sei an dieser Stelle darauf verwiesen, daß der niederländische Architekt Rem Koolhaas in seiner 1978 vorgelegten New York-Analyse, diesen Maßstabsprung, der sich vorzugsweise mit dem Manhatten-Block und dem Manhattan-Hochhaus vollzog, als räumliche Verinselung bezeichnet hat, die die soziale einschloß.[28] Sitte hat sich stets abfällig über diese Spielart des Amerikanismus geäußert. – Was diesen neuen Kernräumen der Großstadt fehlte, waren die architektonisch definierten stadträumlichen Zusammenhänge, der gefaßte Platz, die verbindende Arkade, das eingebundene Bauwerk, eben die Raumzeichen der Gemeinschaft, die räumliche Symbolik des sensus communis. Das »Bindungsmotiv«[29] sei vielmehr einem ›Freile-

gungswahn«[30] gewichen, so Sitte, sodaß der moderne Großstadt-
raum mit seinen Bauwerken auch seine ehemalige, Gebrauchs-
wert- und Praxis-orientierte Bedeutung zu verlieren drohte.
»Eine recht schöne Sache so ein freigelegtes Stadttor, um das
man herumspaziert, statt hindurchzugehen«[31] monierte er. Dieser Tendenz zur Auflösung des stadträumlichen Kontextes galt
Sittes Aufmerksamkeit, die er als Ausdruck der zunehmenden
Gemeinschaftsunfähigkeit der modernen Stadtbürger interpretierte, ein Gedanke, den er der Kunsttheorie Richard Wagners
verdankte.

DIE STADT ALS GESAMTKUNSTWERK

Daß Camillo Sitte die Stadt in seiner Verehrung für Richard
Wagner (die Walter Benjamin bereits Baudelaire verübelte) als
Bühne interpretiert hat, auf der das städtische Leben gleichsam
zur Aufführung kam, darauf wies kürzlich Michael Mönninger
in seiner Dissertation »Vom Ornament zum Nationalkunstwerk«[32] zu Recht hin. Sittes Impuls, die historischen Stadträume
szenographisch und bildgleich zu interpretieren, um sie nach
dieser Maßgabe erneut zu komponieren, durchzieht daher das
Städtebaubuch wie ein roter Faden. Seine Intention, die Stadt
als Bühne der Städter zu denken, die mit ihren alltäglichen Ver-
richtungen und in ihrer ›natürlichen‹, wechselnden Geräusch-
und Handlungskulisse das Ton-Schauspiel Stadt immer wieder
nach den Regeln einer sozialen und kulturell verhandelten Dramaturgie erneut vollziehen, erschließt sich allerdings erst, wenn
man sich die theoretische Grundlage dieses Denkens, Wagners
Konzept des Gesamtkunstwerkes, verdeutlicht.
In der 1849 veröffentlichten, umfangreichen Studie »Das Kunstwerk der Zukunft«, mit der Sitte gewißlich wie mit anderen
Schriften des Komponisten wohl vertraut war, hatte Wagner ein
Kapitel über die »Baukunst« geschrieben, das einen bitteren
Schwanengesang auf den Verfall des sozialen, »wahrhaft nützli-
chen«, mithin des »schönen« Handelns enthielt, das in der Tradition des philosophischen Idealismus ein sittliches, ein tugend-
haftes Handeln gewesen war. Wie einst unter den römischen
Cäsaren – so war bei Wagner nachzulesen –, die zwar beein-
druckende Straßen und Wasserleitungen in Auftrag zu geben
wußten, aber diese Werke allein unter den Gesichtspunkten der

eben notwendigen Bedürfnisbefriedigung des »Pöbels« errichten ließen, so sei auch die moderne Welt mit ihren wundersamen Eisenbahnen und prächtigen Börsengebäuden bloß dem »stupidesten Utilismus« verfallen, die Schönheit und das Künstlerische vom »Nützlichkeitswesen« « verdrängt worden. In diesem Gedanke konnte Sitte die eigene Kritik am ingenieurmäßig betriebenen, hygienischen Städtebau trefflich bestätigt finden. Vor allem ein Begriff, den Wagner als besonderen Ausdruckswert der Kunstform »Baukunst« thematisiert hatte, liegt dem Städtebau nach »künstlerischen Grundsätzen« zugrunde: die gemeinschaftsbildende Öffentlichkeit. Sittes bevorzugte Beschäftigung mit den historischen Platzräumen der Städte war daher mehr als die Marotte eines kleinbürgerlichen Romantikers, vielmehr offenbarte sich in diesem Untersuchungsgegenstand die Suche nach städtischen Raumfiguren, die dieses Öffentlichkeitscredo zu repräsentieren vermochten. In Anlehnung an die altgriechische Agora, mit dem Hinweis auf die Polis also, hat Sitte im ersten Teil seines Buches diese besondere Funktion und den außergewöhnlichen Wert, den der Platz gegenüber dem Straßenraum historisch einnahm, dargelegt. Nach den formalen Kriterien des Offenen oder Geschlossen, der Anordnung schmückender Beigaben, wie Brunnen und Skulpturen, ordnete er die Plätze der süd- und nordeuropäischen Welt, um in dem überschaubaren, durch Gebäude geschlossenen, entleerten Platz, dessen Mitte für die alltägliche Stadtbenutzung frei gehalten war, das Idealbild einer gemeinschaftsbildenden, städtischen Raumform vorzustellen. Der Bedeutungsverlust eben dieser Raumform durch die Betonung der linearen, geometrischen Straßenführung im modernen, hygienischen Städtebau interpretierte Sitte nun abermals auf der Grundlage einer Argumentation Richard Wagners. Wie dieser, so deutete Sitte die unkünstlerische, nutzungsorientierte Planungspraxis als eine Krisenerscheinung der Öffentlichkeit. Hatte Wagner dieses Phänomen noch mit dem aktuellen politischen Scheitern des Bürgertums verknüpft, so erschien es Sitte als ein konstitutionelles Merkmal der modernen, technischen Kultur, denn für ihn war die Entwertung der öffentlichen Stadträume letztlich durch die modernen Printmedien eingeleitet worden. »Wir können es nicht ändern, daß das gesamte öffentliche Leben heute in den Tagesblättern besprochen wird, statt wie einst im alten Rom oder in Griechenland von öffentlichen Vorlesern und Ausrufern in den Thermen

und Säulenhallen auf offenem Platz erörtert zu werden. Wir
können es nicht ändern, daß der öffentliche Marktverkehr sich
immer mehr von den Plätzen zurückzieht, teils in unkünstlerische Nutzbauten sich einschließend, teils ganz auflösend durch
Zuträgerei direkt ins Haus ... Auch die Kunstwerke wandern von
den Straßen und Plätzen immer mehr und mehr in die Kunstkä-
fige der Museen, ...Das Volksleben zieht sich seit Jahrhunderten
stetig, hauptsächlich aber in neuester Zeit, von den öffentlichen
Plätzen zurück.«[34] Sitte war Augenzeuge der Geburt jener flüch-
tig-durchlässigen Architektur der glaseisernen Markthallen und
Passagenräume in den großen Städten, in denen das Private das
Öffentliche zu überlagern begonnen hatte – Walter Benjamin
sollte dies später in seinem Passagen-Werk feinfühlig beschreiben –, er war Zeitgenosse jener Museumsprojekte, in denen die
Kunstwerke der Welt nach und nach verschwanden, um nach
Maßgabe eines elitären, ästhetisierten Wissens von Fall zu Fall
vor den Augen des Publikums präsentiert zu werden.
Sitte hat diesen Wandel im Habitus des öffentlichen Raumes
durchaus scharfsichtig als Funktionsverlust der Stadt als eines
gemeinschaftlichen Handlungsraumes diagnostiziert, ein Prozeß
dem die Struktur der Städte bis heute unterliegen. Und so finden
sich nicht zufällig in den kultursoziologischen Stadtanalysen,
wie sie Richard Sennett in den vergangenen Jahren vorgelegt
hat, Sittes Paradigmen wieder ein: »...seit dem Wiener Baumei-
ster Camillo Sitte«, so Sennett 1974, »haben Stadtplaner immer
wieder die Schaffung oder Bewahrung von Gemeinschaftsterri-
torien innerhalb der Stadt als gesellschaftliches Ziel hervorgehoben. ...Sitte und seiner Generation ging es noch um die Gemeinschaft in der Stadt; den Urbanisten heute geht es um die Gemeinschaft gegen die Stadt.«[35]
Schon Sitte ahnte, daß die Entwertung der politischen Öffentlichkeit und ihrer traditionellen Stadträume unumkehrbar sein
würde, dennoch entfaltete er mit seinem Buch ein Rekonstrukti-
onsmodell, das in der Sammlung von zumeist der Renaissance
entliehenen, geschlossenen Platzfiguren, eine Autorität des Historischen insinuierte, mit dem Ziele, die Sittlichkeit des modernen Städters zu formen und die Stadträume zu Orten seiner
»ästhetischen Erziehung« (Friedrich Schiller) zu machen.

REKONSTRUKTION DER ANSCHAULICHKEIT IM MALERISCHEN STADTBILD

Bereits in den ersten Sätzen der Einleitung hat Sitte deutlich gemacht, daß es in seinem Städtebaubuch wesentlich um die (Re)Konstruktion von Bildungs- und Erfahrungswerten ging, die die Menschen mit den traditionellen Stadträumen machen konnten. »Zu unseren schönsten Träumen gehören angenehme Reiseerinnerungen. Herrliche Städtebilder, Monumente, Plätze, schöne Fernsichten ziehen vor unserem geistigen Auge vorüber, und wir schwelgen noch einmal im Genusse alles Erhabenen und Anmutigen, bei dem zu verweilen wir einst so glücklich waren.«[36] Daß die neue Stadt gleichsam aus der genußvollen Erinnerung – Hans Georg Gadamer hat darauf hingewiesen, daß der Humanismus den Bildungsbegriff eng mit der Gedächtnisarbeit verbunden hat – an das animierende Erlebnis eines Reisenden zu schaffen sei, in der die Aneignungskriterien des Verweilens, des sich satt sehens als Maßstab der städtischen Räume und ihrer Architektur wirkten, verlieh den erinnerten historischen Raumfiguren wie den darin plazierten Gebäuden mit den jeweiligen Fassadenbildern und den skulpturalen Bildwerken die Bedeutung sinnkonstruierender Imaginationen. Eine wahrhaft glückschaffende Stadt war daher auf der Grundlage solcher Erinnerungsmuster zu konzipieren und mit Raumformen anzureichern, die die Lust am Verweilen beförderten. Wie es dem Reisenden und dem Träumenden zu geschehen pflegte, so sollte auch der moderne Stadtbewohner mithilfe der Stadträume und deren Architektur dazu animiert werden, seine Stadt in Muße und mit Genuß zu erblicken und sie nicht, wie es der hygienische Städtebau nahelegte, in funktional gerichteter Eile gleichsam blicklos zu durcheilen. Der Effekt solcher Stadträume sei nämlich »Zerfahrenheit und Langeweile«[37] sodaß dem auf das Schauen angelegten Auge – jener Planungsgröße, die mit Sitte für die moderne Architektur wiedererweckt wurde – jede »lebensfreudige Empfindung« eben die erotische, lebensfreudige Kraft abhanden zu kommen drohe. Diesem »ennui«, der die Stadt der modernen, »objektiven Kultur« (Georg Simmel) des männlichen Geistes als psychische Konstellation begleitete, stellte Sitte seinen Städtebau nach »künstlerischen Grundsät-

zen« entgegen, der eine Topographie der erinnerten Gefühle mit
der Philologie historischer Stadträume zu verbinden versuchte.
Aus dieser Gemengelage entwickelte Sitte seine Konzeption der
malerischen Stadt und dies vor dem Hintergrund des neuen Sen-
sualismus[38] vor allem Wiener Prägung. In der Übernahme des
Empfindungsbegriffs schloß Sitte nämlich an den naturwissen-
schaftlichen Diskurs seiner Zeit an, mit dem er, wie wir sahen,
wohl vertraut war. Sittes Position ist zwischen der Schrift Gustav Theodor Fechners »Elemente der Psychophysik« (1860) und
der auf Fechners Schrift beruhenden, drei Jahre vor dem Städtebaubuch erschienenen Untersuchung Ernst Machs »Beiträge zur
Analyse der Empfindungen« (1886) anzusiedeln. Fechners
grundlegende Publikation zum Funktionsverhältniss zwischen
»Körper und Geist oder Leib und Seele« und dessen Analysen
zur Herstellung und Funktion von Erinnerungsbildern sind in
Sittes Städtebautheorie ebenso wirksam wie Machs Aussage«
(...), dass die Welt nur aus unseren Empfindungen,...«[39] bestehe,
und das Ich ein wandelbarer »...Complex von Erinnerungen,
Stimmungen (und) Gefühlen,...«[40] sei.
Sittes Konzept der malerischen Stadt verstand sich mithin als
Apell an die labilen Stimmungs- und Gefühlslagen des modernen Städters, denn mit der Struktur der historischen Stadtfiguren wurden zugleich die den Erinnerungen des Reisenden ver-
gleichbaren atmosphärischen Werte angesprochen, die den ruhenden Charakter solcher Räume bestimmten. Sitte hat den Effekt des Malerischen mit der Wirkung eines durchkomponierten
Gemäldes verglichen, als »Harmonie und sinnenberückende
Wirkung«[41], dem zugleich jenes scheinbar zufällige, regellose
Moment anhaftete, wie es in der Natur zu finden ist. Der »sinnenberückende«, künstlerische Städtebau basierte daher auf formalen Grundsätzen wie der Kontextualisierung und Überschaubarkeit, der Motivielfalt und Irregularität, der Nutzung topogra-
phischer Eigenarten sowie in wohlkomponierten Begrünungen.
Auch barocke Linienführungen gehörten zum Repertoire der
malerischen Effekte, und selbst der Anblick des »Zerfalls«, das
Blätternde war als Erscheinung des Malerischen willkommen,
weil es als Gebrauchsspur die erinnernde Empfindung anzure-
gen und den Pendelschlag des Zeitgefühls anzustoßen wußte.
Dieses Konzept der malerischen Stadt versuchte bereits atmos-
phärische Empfindungswerte der Erinnerungsbilder wiederzu-
erwecken, wie sie später Walter Benjamin in seiner Essaykunst

beschrieben hat. Es waren jene Orte, die er wie zufällig, und dem Historischen entzogen, ins »Labyrinth der Metropolis«[42] eingestreut fand. Im »Spaziergang durch Paris« und an vielen Stellen des Passagen-Werkes finden sich jene Verschränkungen von Stadtraum, Erinnerung und Empfindungswerten, die Sitte seiner malerischen Komposition des modernen Großstadtbildes vor allem in der Figur des gerahmten, in sich ruhenden Platzraumes beizumischen suchte. Auch in Benjamins Annäherungen an die Räume der Stadt Paris waren es immer wieder die Plätze, die er in »geschichts-(?) und namenlose« unterteilte, an denen ein längst vergangenes, glückreiches Empfindungspotential wachgerufen wurde. Vor allem die namenlosen, kleineren unter ihnen wirkten als stadträumliche Kulminationspunkte der träumerischen Muße, die ihren eigenen Zeit- und Erlebensrhythmus setzten, und es waren gerade die versteckten, den großen Verbindungslinien der breiten Boulevards entzogenen, architektonisch improvisierten Plätze, diejenigen, die »nicht unterm Patronat der Geschichte« standen, die als »glückliche Zufälle« im Gefüge der Großstadt wie Erinnerungszeichen an eine freundliche Landschaft sich erhalten hatten. Sie »...sind nicht von langer Hand geplant sondern ähneln architektonischen Improvisationen, Häusermengen, wo sich niedrige Bauten etwas regellos durcheinander tummeln. Auf diesen Plätzen haben die Bäume das Wort;...«, so Benjamin. Sind diese »...versteckten, winzigen Plätze die kommenden (?) Gärten der Hesperiden.«[43] Göttergärten dieser Art öffneten sich allerdings allein dem Blick des Flaneurs und dem ruhig-schauenden Auge des im Stadtraum Spazierenden.

Sitte ging es im künstlerischen Städtebau nicht vordergründig um das Putzig-Pittoresque, wie dies viele seiner Rezipienten im Nachtrab Otto Wagners später nahelegten, sondern um den genußvermittelnden Augenschein, um die Seh-Lust des modernen Städters, der sich in seiner Stadt mit dem Habitus eines Bildungsreisenden und nicht dem des Durchreisenden bewegen sollte. Deshalb propagierte er die sinnlichen Empfindungswerte des Malerischen, den Maßstab des Augenmaßes, d. h. das Zusammenspiel der differenzierten und kleingliedrigen Raumeinheiten, in denen Eros wieder sprechen sollte, dies mit der Anmut einer weiblich, beruhigenden Stimme und zuweilen, wie im Repräsentationsraum der Ringstraße, in der dramatischen Tonlage einer Wagnersängerin.

DIE STADT DES GLÜCKS ALS THERAPIERAUM
DES MODERNEN LEBENS

Im Konzept der malerischen Stadt hat Sitte zugleich ein thera-
peutisches Raummodell zu entwickeln versucht. Seine Kritik an
der Gestaltung des Vorplatzes der Votivkirche ist dafür ein Beispiel. »Vom hygienischen Nutzen, der beim Freihalten unserer
Räume immer verteidigt wird, kann ja auf dem jetzigen Platz
kaum die Rede sein, der allen Unbilden von Wind und Wetter,
Sonnenhitze und Staub, sowie dem Lärm der Straßen und ewi-
gen Tramwaygeläute in geradezu unerträglicher Weise ausgesetzt ist. Die jetzige Sandwüste ist daher auch meist menschen-
leer, während das hier projektierte Atrium geschützt gegen Wind
und Staub, befreit vom Tumult der Straße, reichlich versehen
mit schattigen Ruheplätzen in den Arkaden und zwischen den
Büschen neben dem Haupteingang, gewiß gerne zur Erholung
aufgesucht würde, in den schrägen Gangteilen neben dem Haupt-
eingange (...) wären daher auch ganz gut Kaufläden, besonders
für Darreichung kleiner Erfrischungen, zulässig und in versteckten Ecken Zugänge zu beaufsichtigten Bedürfnisorten, ...«[44] Hier
zeigte der Städtebau nach »künstlerischen Grundsätzen« neben
seiner praktischen Begabung für das Touristische, bereits die
Ahnung jener modernen Krankheiten, die ja tatsächlich zeit-
gleich mit der Entstehung der verkehrsorientierten, großstädtischen Verbindungsräume auftraten, in die sich die »...laute
Pracht des naturwissenschaftlich-technischen Zeitalters« nun
ergoß. Solche Krankheiten der Seele beschäftigten inzwischen
die Heilkunst ebenso wie nur kurze Zeit später die Gesellschaftswissenschaften, und Georg Simmel beschrieb 1901 den hastigen
Lebensstil des modernen, rhythmusgestörten Großstädters in
seiner umfangreichen Untersuchung, der »Philosophie des Geldes«[45]. Vor allem die moderne Neurasthenie, der sich Georg
Simmel 1903 in seinem Essay »Die Großstadt und das Geistesleben«[46] gewidmet hat, war bereits durch Sitte als Effekt des modernen Städtebaus tangiert worden.
Daß Camillo Sitte seine Stadt des Glücks gleichsam als einen
Therapieraum gegen die Auswirkungen der »objektiven Kultur«
und ihrer technisch beschleunigten Lebensräume verstand, hat
er in einem Aufsatz über das ›Großstadt-Grün‹ 1901 dargelegt.
Dieser Artikel, der zuerst in der »Hamburgischen Wochenschrift

für deutsche Cultur ›Der Lotse‹« erschien und nach Sittes Tod
der 4. Auflage des Städtebaubuches 1909 beigegeben wurde, beginnt ganz ähnlich wie es in Simmels Begriff der »objektiven
Kultur« gefaßt ist, mit einer Entfremdungsdiagnose der modernen Stadtmenschen und ihrer Kultur. »Unsere Vorfahren waren
seit undenklichen Zeiten Waldmenschen; wir sind Häuserblock-
menschen. ...Daraus erklärt sich, daß dem naturhungernden
Stadtmenschen jeder Baum, jeder kleinste Grasfleck, jeder Blu-
mentopf heilig ist, und dieser allgemeinen Volksempfindung
nach dürfte nicht ein Strauch einer sonst noch so nöthigen
Stadtbebauung geopfert werden, ...«[47] Dem städtischen Grün
kam daher nach Sitte eine doppelte Bedeutung zu, als Element
der Repräsentation im öffentlichen Stadtraum und als sanitäre
Maßnahme zur Erhaltung der Luftreinheit und damit der Volks-
gesundheit. Wenn Sitte diese seit der englischen Gartenstadt alt-
bekannte Idee der körperlichen Gesundung nun mit psychologi-
schem Kalkül aufgriff, dann zeigte er sich durchaus als Zeitgenosse des intellektuellen Milieus Wiens, in dem die Fortschritte
der Medizin zum Salon- und Gelehrtengespräch gehörten, und
Sigmund Freud, wenn schon nicht für sein Ansehen, so doch für
Aufsehen sorgte. Sitte entwickelte sein Konzept des malerischen
Großstadtgrüns für den modernen Großstadtkörper nämlich
auch mit dem Blick auf den »Großstadtmelancholiker«, diesen
»teils eingebildeten, teils wirklichen Kranken ...(der) an der
Sehnsucht, am Heimweh nach der freien Natur«[48] leide. Seinen
Entzugserscheinungen mußte durch die »Einstreuung von Na-
turbildern«, durch Gärten, Parks, Hof- und Balkonbegrünungen
ebenso Heilung verschafft werden wie seinem im »Getöse der
Großstadt«[49] beunruhigten und gepeinigten Gemüt.
Im Konzept des Großstadt-Grüns hat Sitte das auf die Funktion
des Körpers gerichtete Gesundheitsverständnis der pragmatischen Stadthygieniker um die Dimension der individualpsychi-
schen Gesundheit erweitert. Auch unter diesem Gesichtspunkt
versagten also die raumordnenden, geometrischen Techniken
des hygienischen Städtebaus.[50] Großstadträume, in denen die
modernen Stadtbewohner mithin eine ihnen eigentümliche Kultur der Eudämonie auszubilden vermochten, bedurften daher, so
Sittes Credo, der »künstlerischen Grundsätze«, also stadträumli-
cher Kontrollmechanismen, die die sachlich-funktionalen Lebenswelten und ihre entsolidarisierenden, modernen Lebenstile

symbolisch mit dem Erinnerungsreichtum vergangener Empfindungen aufzufüllen und zu versöhnen verstanden.

ANMERKUNGEN

[1] Richard Sennett, Civitas. Die Großstadt und die Kultur des Unterschiedes, (deutscher Titel von »The Conscience of the Eye. The Design and Social Life of Cities«), Frankfurt a. M. 1991, S.11. Im Rahmen dieses Artikels können nur einige wenige Aspekte angeschnitten werden, die im Städtebaubuch Sittes enthalten sind.

[2] Françoise Choay, Das architektonische Erbe, eine Allegorie. Geschichte und Theorie der Baudenkmale, (Erstausgabe Paris 1992), Braunschweig/ Wiesbaden 1997, S.138ff. Die Autorin ist eine der wenigen Stadthistorikerinnen, die diesen Sachverhalt hervorgehoben hat, vor allem feiert sie Sitte zu Recht als »Begründer der Stadtmorphologie« und betont, daß Sitte zu jenen »Figuren« gehört habe, die »...die Geschichtlichkeit des Prozesses, in dem die Stadt der Gegenwart sich urbanisiert, ...in ihrem Ausmaß und ihrer Positivität angenommen« haben .(S. 137)

[3] Giulio Carlo Argan, Urbanistik, Raum und Ambiente, in; Kunstgeschichte als Stadtgeschichte, (Hrsg. G. C. Argan), München 1989 (Erstveröffentlichung Rom 1984), S. 271f

[4] Vgl.: Carl E. Schorske, Wien.Geist und Gesellschaft im Finde Siecle, (Erstveröffentlichung New York 1980), S.58ff

[5] Jaques Le Rider, Das Ende der Illusion, Die Wiener Moderne und die Krisen der Identität, Wien 1990, S. 37

[6] op. cit., Anm.: 4, S. 38

[7] op. cit., Anm.: 4, S. 39

[8] Henri Lefèbvre, Die Revolution der Städte, (Erstveröffentlichung Paris 1970), München 1972, S. 7. Siehe dazu auch: Jürgen Reulecke, Geschichte der Urbanisierung in Deutschland, Frankfurt a.M. 1985

[9] Siehe dazu die äußerst scharfsichtige Analyse, die Camillo Sitte in seinem Artikel »Wiener Villenzone« 1893 veröffentlicht hat, in dem er das Phänomen der Landschaftzersiedelung im Weichbild Wiens unter dem Gesichtspunkt der modernen Stadtflucht, als Suche nach der verlorengegangenen Natur, beschrieben hat.

[10] Georg Simmel, Der Konflikt der modernen Kultur, in: Gesamtausgabe Bd. 16 (Hrsg.Otthein Rammstedt), Frankfurt a.M.1999, S. 134

[11] op. cit. Anm.: 8, S. 183. Simmel beschrieb den Wandel der Kulturformen aus dem Widerspruch, der sich zwischen den Bedürfnissen der Kultur nach Verfestigung in Formen, in die »sich das Leben kleidet« und den dynamischen Prozessen, die das Leben selbst produziert, ergibt. Sitte war diesem Phänomen gegenüber nicht unempfindlich, wenngleich er diese Dynamik mit dem Blick auf traditionelle formale Werte zu lenken suchte.

[12] George R.Collins/Christiane Crasemann Collins, The Birth of Modern City Planning, New York 1986

[13] Clifford Geertz, Kulturbegriff und Menschenbild, in: Das Schwein des

Häuptlings. Beiträge zur Historischen Anthropologie, (Hrsg. Rebekka Habermas, Niels Minkmar), Berlin 1992, S. 70f

[14] Siehe dazu: Karin Wilhelm, Zwischen Krieg und Frieden. Sarajewo – Beispiel eines stadträumlichen Zivilisierungsmodells, in: Städte im Globalisierungsprozeß (Hrsg. Richard Faber/Helmut Berking), Würzburg 2001

[15] Leon Battista Alberti, Zehn Bücher über die Baukunst, Darmstadt 1975, S. 181

[16] Camillo Sitte, Richard Wagner und die Deutsche Kunst, Separat-Abdruck, 2. Jahresbericht des Wiener Akademischen Wagner-Vereins, Wien 1875, S. 37; in: Sitte-Nachlaß, Institut f. Städtebau TU Wien, Inv .Nr. 133

[17] op. cit., Anm.:15, S.33

[18] Zu diesem Aspekt hat Michael Mönninger die grundlegenden Untersuchungen vorgelegt. Siehe dazu: Michael Mönninger, Vom Ornament zum Nationalkunstwerk. Zur Kunst- und Architekturtheorie Camillo Sittes, Braunschweig/Wiesbaden 1998

[19] op. cit., Anm.:16

[20] op. cit., Anm.:15, S.30

[21] Die Rezeption der Wiener Vorstadt haben unter diesem Titel: Wolfgang Maderthaner/Lutz Musner, Die Anarchie der Vorstadt. Das andere Wien um 1900, Frankfurt a.M./New York 1999, publiziert. Die liberale Grundhaltung Sittes dokumentiert sich vor allem in den städtebaulichen Untersuchungen, die sich mit dem Für und Wider der Grundstücksenteignung beschäftigt haben.

[22] Camillo Sitte, Erklärungen zu dem Lageplan für Reichenberg, Reichenberg 1901, in: Sitte-Nachlaß, Institut f. Städtebau TU Wien, lnv.Nr.43

[23] Georg Simmel, Weibliche Kultur, in: Aufsätze und Abhandlungen 1901-1908. Bd. l, Gesamtausgabe Bd. 7, Frankfurt a.M. 1995, S.66

[24] Siehe dazu: Karin Wilhelm, Visionen vom Glück – Visionen vom Untergang. Zeichen und Diskurse zur »schönen neuen Welt«, in: Techno-Fiction. Zur Kritik der technologischen Utopien, Bd. l, Thesis. Wissenschaftliche Zeitschrift der Bauhaus-Universität Weimar, Heft 1/2 1997

[25] Mein besonderer Dank gilt Roswitha Lacina (Archivarin und Bibliothekarin am Institut f. Städtebau der TU Wien), die diesen Text im Haus-Hof und Staatsarchiv Wien aufgefunden hat, und ihn mir freundlicherweise zur Verfügung stellte. Die äußerst umfangreiche Bibliothek Sittes hat sich leider nicht erhalten.

[26] Siehe dazu: Hans Georg Gadamer, Wahrheit und Methode. Grundzüge einer philosophischen Hermeneutik, (4.Auf l.), Tübingen 1975

[27] Camillo Sitte, Der Städtebau nach seinen künstlerischen Grundsätzen. Ein Beitrag zur Lösung modernster Fragen der Architektur und monumentalen Plastik unter besonderer Beziehung auf Wien, Wien 1889, S. 159. Ich zitiere im Folgenden nach dem Reprint der 4. Auflage 1909 »vermehrt um das Großstadtgrün«, Braunschweig/Wiesbaden 1983.

[28] Rem Koolhaas, Delirious New York. Ein retroaktives Manifest für Manhattan, (Erstausgabe New York 1978), Aachen 1999. »...:Theoretisch kann nun jeder Block zu einer autonomen Enklave, ..werden. Diese Möglichkeit impliziert gleichzeitig eine grundlegende Isoliertheit: Die Stadt hört auf ein mehr oder weniger homogenes Gebilde zu sein, ...Jeder Block ist nun allein, wie eine Insel, ganz und gar für sich.« S. 93

[29] op. cit., Anm.: 27, S. 35

[30] op. cit., Anm.: 27, S. 37

[31] op. cit., Anm.: 29

[32] op. cit., Anm.: 18

[33] Richard Wagner, Das Kunstwerk der Zukunft, in: Jubiläumsausgabe Bd. 6, Frankfurt a.M. 1983, S. 102

[34] op. cit., Anm.: 27, S. 116f

[35] Richard Sennett, Verfall und Ende des öffentlichen Lebens. Die Tyrannei der Intimität, (Erstausgabe New York 1974), Frankfurt a.M. 1991, S. 371

[36] op. cit., Anm.: 27, S. 1

[37] op. cit., Anm.: 27, S. 2

[38] Siehe dazu: Gustav Theodor Fechner, Elemente der Psychophysik, 2 Bde, Leipzig 1860 und Ernst Mach, Beiträge zur Analyse der Empfindungen, Jena 1886

[39] op. cit., Anm.: 38, Mach, S.8. »Die Physiologie der Sinne legt aber klar, dass Räume und Zeiten ebenso gut Empfindungen genannt werden können als Farben und Töne.«(S.6). Die Bedeutung der Machschen Theorie der Empfindungen kann in diesem Kontext nur angedeutet werden. Sie wird an anderer Steile auch in Bezug auf Robert Musils Dissertation über Mach ausführlicher behandelt werden.

[40] op. cit., Anm.: 39, Mach, S .3

[41] op. cit., Anm.: 27, S.2

[42] David Frisby, Fragmente der Moderne. Georg Simmel, Siegfried Kracauer und Walter Benjamin, (Erstausgabe Oxford 1986), Rheda-Wiederbrück 1989, S.235.

[43] Walter Benjamin, Das Passagen Werk, 2.Bd., Frankfurt a.M. 1983, S. 999

[44] op. cit., Anm.: 27, S. 167

[45] Georg Simmel, Philosophie des Geldes, Gesamtausgabe Bd. 6, Frankfurt a. M. 1989

[46] Georg Simmel, Die Großstädte und das Geistesleben, in 8 Gesamtausgabe Bd. 7, Frankfurt.a.M. 1997, S. 116ff

[47] Camillo Sitte, Großstadt-Grün, Separat-Abzug aus der Lotse, Wien 1901, Inst. f.Städtebau, Sitte-Nachlaß, inv.-Nr.238, S.3

[48] op. cit., Anm.: 47, S. 7

[49] op. cit., Anm.: 47, S. 15

[50] Siehe dazu Simmels Untersuchung über Symmetrie und Rhythmus in der »Philosophie des Geldes«, Anm.: 45

Maria Herzfeld

FOTO: PORTRÄTSAMMLUNG DER ÖNB WIEN

›Für eine kleine kulturwissenschaftliche Literatur‹(der Kommentare): Marie Herzfeld

URSULA RENNER

›Übersetzt‹, ›eingeleitet‹, ›herausgegeben von Marie Herzfeld‹ – so oder ähnlich steht es auf zahlreichen Titelblättern der Jahrhundertwende. Was sich dahinter verbirgt, ist eine kleine Bibliothek literarischer und kulturhistorischer Texte aus verschiedenen Sprachen, welche die Schriftstellerin Marie Herzfeld (1855-1940) einer breiteren Öffentlichkeit zugänglich gemacht hat; vornehmlich skandinavische Literatur und Texte der italienischen Renaissance. Wenn der Name Jacob Burckhardts für eine ›große Erzählung‹ der Renaissance steht, so betreibt Herzfeld mit ihren »Quellentexten zur Geschichte der italienischen Kultur«, zwischen 1910 und 1927 im Eugen Diederichs Verlag erschienen, eine Art kleine kulturgeschichtliche Archäologie. Sie präsentiert frühneuzeitliche Originale und bietet den Lesern einen unverstellten Blick auf deren Fremdheit; andererseits gibt sie Verständnishilfen, holt das Vergangene gleichsam zoomartig heran und ›verlebendigt‹ es durch ihren Kommentar. Ihr Focus ist ein kulturwissenschaftlicher – auch im heutigen Sprachgebrauch.

Die Spurensicherung dieser Intellektuellen ohne akademische Ausbildung im engeren Sinn und ohne institutionellen Status wirft die Frage auf, wie kulturwissenschaftliche Gegenstände von Positionen der Randständigkeit entstehen können. So gefragt, ist es weder naiv noch vermessen, Marie Herzfeld für die Anfänge der Kulturwissenschaften in den Dienst zu nehmen. Allerdings bleibt das Problem, mit einem Begriff hantieren zu müssen, der nicht nur unscharf ist, sondern auch oder gerade deswegen gegenwärtig beinahe inflationär gebraucht wird – ein Schicksal, das er mit dem der ›Cultur‹ im *fin de siècle* teilt.[1] Damals (1909) schrieb ein enervierter Hofmannsthal: »Ich höre soviel mit dem Wort Cultur herumwerfen. Das Wort sollte man sich verbieten.«[2]

Unter dem Begriff der Kulturwissenschaften – *cultural studies* oder *cultural analysis* – wird am Beginn des 21. Jahrhunderts soviel subsumiert, daß man, wie Hofmannsthal es für ›Cultur‹ vorschlug, geneigt ist, sich von ihm wieder verabschieden zu wollen, weil er heuristisch keine Differenzen mehr konstruieren kann. Entsprechend schwierig ist es, Anfänge von etwas bestimmen zu wollen, was gegenwärtig nur in einer Pluralität von Praktiken, Institutionen und Theorien zu haben ist.[3] Wenigstens in Umrissen wäre deshalb erst einmal zu klären, unter welchen Prämissen hier über Marie Herzfeld gesprochen wird.

Vom Blickwinkel der Literaturwissenschaft betrachtet, erscheinen mir für eine Klärung die jüngsten Überlegungen von Jonathan Culler brauchbar. Culler ist insofern ein überzeugender Gewährsmann, weil er sich als Literaturwissenschaftler darum bemüht, seine langjährige Theoriereflexion in die Diskussion um die *cultural studies* einzubringen. Und weil er entschieden dafür plädiert, literarische Texte nicht lediglich als Symptomlieferanten für kulturwissenschaftliche Fragestellungen preiszugeben, sondern ihr potentielles Reflexionsangebot zu nutzen.[4] So lautet seine Ausgangsthese, mit der er Literaturwissenschaft und Kulturwissenschaft vernetzt: »Work in cultural studies is [...] deeply dependent on the theoretical debates about meaning, identity, representation [...].«[5] Historisch macht Cullers für die heutige universitäre Disziplin der Kulturwissenschaften eine doppelte Gründungsgeschichte aus: Zum einen ihre Genese aus dem französischen Strukturalismus, der, wie etwa im Falle von Roland Barthes mit seinen »Mythologies« (1957, dt. »Mythen des Alltags«), Kultur (einschließlich der Literatur) als eine Reihe von Praktiken bestimmte, deren Konventionen und Regeln beschreibbar sind. Was sich als natürliche kulturelle Phänomene präsentiert, so Roland Barthes, basiert auf kontingenten historischen Konstruktionen. Der zweite Traditionsstrang geht auf den vom Marxismus kommenden englischen Theoretiker Raymond Williams (»Culture and Society«, ebenfalls 1957) und das Birmingham Centre for Comtemporary Cultural Studies (BCCS) mit seinem Gründer Richard Hoggart (»The Uses of Literacy«, 1957) zurück. Williams Anliegen war eine Geschichte von Unten und das Zu-Gehör-Bringen der ›verlorenen Stimmen‹ der populären Arbeiterkultur. Seine dialektisch konzipierte Grundannahme lautete, daß Kultur Ausdruck *von* Menschen ist, wie sie zugleich *auf* Menschen einwirkt und sie verändert.

Trotz einer Reihe ganz grundsätzlicher (ideologischer) Unterschiede[6] kann man als gemeinsamen Nenner beider Traditionslinien die Öffnung des (Forscher-)Visiers auf randständige Gruppen, Textsorten, populäre kulturelle Ausdrucksformen sehen. Was dagegen, so jedenfalls Culler, noch verhandelt wird, ist die Frage, was die angemessene Methode wäre, mit der man die sogenannten ›kulturellen Gegenstände‹ zu analysieren könnte.[7] Cullers aktuelle Antwort formuliert er im Nachdenken über seine eigenen Analysen zu Müll und Tourismus in »Framing the Sign« (von 1988):

»Now when I think about what it is that makes the essays seem cultural studies rather than something else – philosophy or sociology or history – I conclude that it is the attempt to identify the underlying structures, the powerful mechanisms at work in these cases. I am led to the hypothesis that cultural studies is (or should be) structuralism, that crucial enterprise which has been unfairly, in my view, shunted aside [...] in that enthusiasm for the new that generates ›poststructuralism‹. Since what we call ›theory‹ is generally linked with *poststructuralism*, one might imagine that the inclination of people in cultural studies to dissociate themselves from theory might be the displaced form of a return to the analytical projects of structuralism, which sought to help us understand the mechanisms that produce meaning in social and cultural life.«[8]

Schließlich bringt Culler noch eine Hypothese zum historisch-systematischen Ort der Kulturwissenschaften ins Spiel, die er auf den Argumenten von Bill Readings' »The University in Ruins«[9] und Jon Cooks Reflexionen über »The Techno-University and Knowledge«[10] aufbaut. Sie lautet in aller Kürze: während Kant (in seiner Schrift »Der Streit der Fakultäten") die Universität aus einem einzigen Regulativ, der kritischen (erkennenden) Vernunft konstruierte, hätten Humboldt und der deutsche Idealismus die moderne Universität installiert, mit der die *University of Reason* durch die *University of Culture* ersetzt wurde, eine Institution, die die Einheit der Lehre und Forschung proklamierte. Ihr Ziel war ein nationales Selbstverständnis und die Formierung von sogenannten »gebildeten Bürgern«. ›Kultur‹ wurde zum Ausbildungsziel; ihr Repräsentant war der Professor (man kann ergänzen: das, was dann später bei Nietzsche als

114

»Bildungsphilister« unter Beschuß geriet). Stand für die *University of Reason*, Kants Aufklärungsmodell, die Philosophie oder besser die ›Weltweisheit‹ im Zentrum, waren es für die Humboldtsche *University of Culture* die Philologien. Als Institution sollte die Universität so etwas wie die Einheit des Wissens repräsentieren. Mit der Globalisierung des Kapitals wurde der Drang, nationale Subjekte zu bilden, deutlich schwächer und damit der Hang oder die Notwendigkeit, geistig-kultivierte, d. h. allgemeingebildete Individuen zu produzieren. Der sich seit der zweiten Hälfte des 20. Jahrhunderts formierende neue Typus ist, wie Readings es nennt, *the University of Excellence*. Diese Universität hat kein besonderes Ziel mehr, außer dem, gut zu funktionieren. »Excellence« figuriert als das, was die Universität eint, letztlich eine inhaltslose Größe, die eine Endlosschleife bürokratischer Maßnahmen und Kontrollen produziert. Die *University of Excellence* strebt außerordentliche Leistungen an, ohne sie zu definieren: »In practice, excellence is connected with professionalization: you are judged by your peers, which means that excellence is determined by how you are rated by others.« Das Ergebnis aus diesem Befund lautet: Wenn ›Kultur‹ nicht länger der Impuls und das übergeordnete Ziel, die ›Idee‹ der Universität ist, kann sie ein Gegenstand der Wissenschaft und ein Fach unter anderen Fächern werden.[11] War im 19. Jahrhundert vornehmlich die Literatur (bzw. der Korpus der geisteswissenschaftlich relevanten Texte) der Ort, wo Kultur beobachtet oder auch assimiliert wurde, so reicht in unserer Gegenwart die Information, daß diese (literarischen) Texte existieren. Das wiederum brauchen die Medien, um mit ihren Referenten aus dem ›System Kultur‹ ihre Adressaten erreichen zu können.

Folgt man Readings bzw. Cullers Drei-Stufen-Modell, so würde sich Marie Herzfeld an der Schwelle zur beginnenden Ablösung vom Humboldtschen Bildungsideal befinden. Für ihre spezifische Form des Intellektualismus ist kennzeichnend, daß sie sich in einem kontingenten Feld von Texten vornehmlich in Form von Kommentaren äußert. Wenn ein Zweig der heutigen Kulturwissenschaften sich der Populärkultur angenommen hat und darin eine inclusive Opposition zum ›hehren‹ Kultur-Kanon, der im Bildungssystem der Nachgoethezeit festgelegt wurde, bezog, so kann man diesen Impuls bei Marie Herzfeld nicht ausmachen. Aber auch nicht den der Affirmierung des Kanons. Sie bewegt sich vielmehr in einem eher unscharfen Terrain dazwischen. Gemäß dem beschriebenen Modell würde sie nicht mehr das orthodoxe Projekt ›Bildung‹ und ›Kultur‹ vertreten, sondern sich vielmehr ›kulturellen Gegenständen‹ widmen und Texten, die an den Rändern des *main stream* liegen.

In ihrer Person repräsentiert sie gleich mehrere randständige Positionen um 1900: Sie war Übersetzerin, Journalistin, Rezensentin und Herausgeberin von skandinavischer Literatur und von Texten zur italienischen Renaissance. Diese Reihe umfaßte sowohl Höhenkamm-Literatur wie die Texte Leonardo da Vincis (»Leonardo da Vinci. Der Denker, Forscher und Poet«, 1904, und seinen »Traktat über die Malerei«, 1909),[12] als auch wenig bekannte Quellen zur Kulturgeschichte. Herzfelds Blick auf das Randständige folgt nicht einem Gestus der Subversion akademischer Disziplinen, wenngleich er indirekt durchaus dazu beiträgt. Sie erweitert vielmehr die konventionelle Perspektive, indem sie sich aus dem kulturellen Archiv das herausgreift, was die bildungsbürgerliche Wissenkonstruktion vernachlässigt oder noch nicht gesichtet hat. Dies sucht sie, ohne mit der Geschichtsschreibung zu konkurrieren, aber mit derem Anspruch auf Verlässlichkeit, in die gesellschaftliche Zirkulation zu bringen. Nicht ein eigenes ›Werk‹ liegt ihr am Herzen, sondern sie folgt einem Ethos des Präsentierens und Vermittelns. Als Hermann Conrad nach Erscheinen ihrer »Quellentexte zur Geschichte der italienischen Kultur« kritisiert, daß darin zu wenig vom Kanon enthalten sei, antwortet Eugen Diederichs: »Sie haben nicht ganz Unrecht, wenn Sie bei den ersten Büchern etwas die zugkräftigen Namen vermissen, aber Fräulein Herzfeld war ein wenig eigensinnig.«[13]

Mit ihren »eigensinnigen« Aktivitäten arbeitet Herzfeld nicht an einer Ausdifferenzierung der Wissenschaften, sondern viel eher an einem erweiterten Dach, das ›die Kultur‹ vor ihrer Separierung in Einzel-Wissenschaften bewahren soll (s. u.).

Ihre Verfahren, dies zu tun, es sei wiederholt und pointiert, sind 1. Vermittlung (Verlagsberatung bei S. Fischer und Eugen Diederichs); 2. Übersetzung;[14] 3. Herausgeberschaft und Kommentar;[15] 4. Rezensionstätigkeit.[16]

Was Herzfeld von ihrer randständigen Position aus an Produktivität, Kreativität und analytischem Scharfsinn entfaltet hat, ist beeindruckend. Mit ihrem Engagement hat sie sich im Kulturbetrieb der Wiener Jahrhundertwende großes Ansehen erworben, obwohl sie weder akademisch institutionalisiert war noch sich um eine solche Institutionalisierung bemühte. Mit Titeln aus dem aktuellen skandinavischen Literaturbetrieb (Übersetzung und ›Kommentar‹) und Texten zur Arbeit am kulturellen Gedächtnis (Herausgabe und ›Kommentar‹) unterstellte sie sich vielmehr dem Buchmarkt.

Herzfeld kommt also von der Literatur und Literaturkritik, nicht von der Philosophie, in der sie sich gleichwohl ungewöhnlich gut auskennt. Dabei fällt ihr weiter Literaturbegriff auf, der implizit bereits ein Textbegriff ist, insofern er viel Spielraum zuläßt.[17] So beendet sie ihre Rezension von Felix Dörmanns schwüler Gedichtsammlung »Neurotica« – einem Klassiker der Dekadenzliteratur – mit den weitherzigen Worten:

»Die ›Neurotica‹ sind eine ungestüme Hervorbringung, eine unüberlegte, unkluge; sie entstanden, Dörmann wußte selbst nicht wie, mit Naturnothwendigkeit. Was soll da ein Vorwurf? Man fühlt, wie man muß, man schreibt wie man kann. Glauben die Menschen denn immer noch, man dichte nur aus Bosheit Verse, die nicht aller Welt gefallen? / Ich verlange die volle Unverantwortlichkeit der Person des Künstlers für alle Erstlingstaten seines Geistes.«[18]

Ein Beispiel, das sich lohnt, ausführlicher zitiert zu werden, ist ihr Kommentar zur Bestsellerliste des Jahres 1891: »Es war ein seltsames Verzeichniß [...], paradox und voller Gegensätze, wie Alles, was so recht dem Herzen unserer Zeit entquillt: Ibsen's Dramen und Kneipps ›Wassercur‹, ›Rembrandt als Erzieher‹ und Bellamy's Rückblick, Zolas Werke [....].« Die sich sich fortsetzende bunte Liste populären Leseverhaltens kommentiert Herzfeld so: »Viel Dummheit und viel Gescheidtheit, auf einem Blatte catalogisirt; man möchte lächeln, wenn nicht soviel Ernst darin steckte. Denn so drollig ist die Sache nicht. In der wirren Buntheit birgt sich ein tiefer Sinn und die Willkür des Geschmacks liegt an der langen Kette guter Gründe. / Jedoch wie diese Gründe errathen? Wo findet sich das Gemeinsame in so heterogenen Aeußerungen des Allerpersönlichsten im Menschen, des Geschmacks? Gibt es eine logische Brücke zwischen Kneipp und Bourget, einen elektrischen Funken, der von Ibsen zu Zola und Tolstoi springt?«

Ihre Antwort:

»Was alle diese Autoren emporträgt, ist die Hochflut des gewaltigen Lebens unserer Zeit. Sie besitzen gar kein Talent zur Classicität, diese Schriftsteller; ihre Bücher haben jedoch den Vorzug, daß sie lebendige Literatur sind, daß jedes eine Nuance unseres Wesens darstellt, daß sie nicht am Schreibtisch erfunden scheinen, sondern mit unserem Hirn, unseren Nerven, unserem Fleisch und Blut erlebt und erlitten; sie sind voll von unserem Lieben und Hassen, von unserem Wünschen und Sehnen, von unserem Freud und Leid; aus ihrer Häßlichkeit, Gewaltsamkeit sogar, aus ihren Künsteleien und Raffinements, aus ihrer sentimentalen Wehleidigkeit und aus ihrer grausamen Folterlust, aus Allem sieht uns das wohlbekannte Antlitz der Jahrhundertwende entgegen [...].«

Daß Literatur die Physiognomie einer Zeit repräsentiert, erscheint Herzfeld interessanter als das ästhetische Konstrukt und literarische Wertung. Und auch auf der Seite der Leser macht sie ein stärkeres Interesse an Brüchen und kulturellen Gegenständen aus als am künstlerischen Artefakt. Ihr Augenmerk richtet sich auf das, was beim Publikum Aufmerksamkeit weckt: »Wie bedeutend auch die Begabung ihrer Urheber sein mag, – es ist nicht einmal die Kunst oder etwas Künstlerisches, was der große Leserkreis in ihnen sucht. Gerade ihre künstlerischen Fehler, das Durchbrechen der Form durch das Stoffliche, ihr Gedankeninhalt, ihr Hintergrund und ihr Nebenbei, das interessirt, fesselt, regt an und regt auf.«[19]

Die *story* muß nach ihrem Verständnis so beschaffen sein, daß sie einen Affekt produziert. Denn der ermöglicht dem Leser, sich emotional mit dem Text in Beziehung zu setzen. Lesen wird so zu einem Faktor, der die politische Praxis ebenso wie die Vorschriften der Diskurse unterläuft, eine unausdrückliche kritische Reaktion auf die Verhältnisse der Gegenwart:

»wir stehen unter dem Einfluß einer zwiefachen Enttäuschung, eines politischen und eines moralischen Katzenjammers. Wir haben zu viele Regierungsformen überlebt und unseren Enthusiasmus zu sehr abgebraucht; wir glauben nicht mehr an die unbedingte Güte irgend eines herrschenden Systems und wir glauben nicht mehr an die herrschenden Männer. Wir sind schrecklich ›gesinnungslos‹ geworden; die Fragen, welche auf der Tagesordnung stehen, begeistern uns nicht, und die Fragen, die uns begeistern, stehen nicht auf der Tagesordnung.«[20]

Texte sind Herzfeld Zeugnisse für soziale und kulturelle Befunde. Sie haben für sie aber nicht die Funktion reiner Belege, wie in der Soziologie, sondern werden in ihrer je besonderen textuellen Verfaßtheit respektiert. Die ästhetisch-philologische Dimension jedoch ist sekundär.

Als Herausgeberin begleitet sie die Quellentexte mit ihrer eigenen Stimme, die wiederum einen ganzen Chor anderer miterklingen läßt, aber ohne, daß sie sich diesen wie dem Text gegenüber als Autorität zu inszenieren sucht.[21] An den Rändern der Texte und der Wissenschaften etabliert sie so ihre besondere Form der Autorschaft – eine Expertin ohne akademische Expertise.

Bevor einige Beispiele zur Illustration angeführt werden, sei eine knappe Skizze ihrer Biographie vorausgeschickt.[22] Marie Herzfeld wurde 1855 in Ungarn (Güns) als Tochter eines Arztes geboren, der sie auch selbst unterrichtete. Arthur Schnitzler behauptete, entfernt mit ihr verwandt zu sein.[23] Sie lebte zunächst in Wien[24] und zog anschließend als Mitarbeiterin des Eugen Diederichs-Verlags nach Jena; danach wohnte sie bis 1937 bei ihrer Nichte im böhmischen Aussig. 1940 starb sie in Mining im Bezirk Braunau, Oberösterreich. Aus ihrem verstreuten Nachlaß[25] läßt sich in Umrissen erkennen, mit wie vielen Schriftstellern sie korrespondierte: neben den skandinavischen, die sie übersetzte, mit zeitgenössischen naturalistischen und symbolistischen Autoren wie Michael Georg Conrad, Gerhart Hauptmann, Carl Bleibtreu, Ricarda Huch, Karl Emil Franzos, Marie von Ebner-Eschenbach, Hugo von Hofmannsthal, Arthur Holitscher und Werner Sombart, um nur einige zu nennen. Zum Teil stehen ihre Briefe im Kontext der Verlagskorrespondenzen, zum Teil hängen sie mit ihrer leitenden Funktion im »Verein der Schriftstellerinnen und Künstlerinnen in Wien« zwischen 1901 und 1919 zusammen, die sie darüber hinaus mit zahlreichen österreichischen Schriftstellerinnen in Verbindung brachte.

Ausgangspunkt ihrer intellektuellen Biographie war das Studium der skandinavischen Sprachen und Literatur in Wien. Seit Ende der achtziger Jahre erschienen auch ihre ersten Kritiken und Übersetzungen. Eine Ahnung davon, wie man sich einen solchen Entschluß zu übersetzen[26] in jener Zeit vorstellen muß, gibt ein Brief vom 15. August 1884 an den österreichischen Schriftsteller Karl Emil Franzos:

»Sehr geehrter Herr Franzos!

Nie hätte ich es mir träumen lassen, daß ich mich je an Sie in Ihrer Schrifstellereigenschaft mit einer Bitte wenden würde. Erschrecken Sie nicht, mir erscheint die Muse nur im Schlaf und ich verlange nicht, daß Sie etwas anderes von mir lesen als diesen Brief. Was ich von Ihnen erbitten will, ist nichts als Ihr guter Rath und ich würde Ihre Zeit nicht in Anspruch nehmen, wenn ich denselben von jemand Anderem haben könnte.

Sie haben von Ottilien vielleicht gehört,[27] daß ich diesen Frühling durch viele Wochen leidend war und ich bin nur so weit hergestellt, daß ich ein wenig an dem thätigen Leben Antheil nehmen kann. Ich war bisher an ein intensives Arbeiten gewöhnt und würde es peinlich empfinden, nur so einen geschäftigen Müssiggang zu führen. Da mich ein heftiger Selbständigkeitsdrang es stets schwer hat empfinden lassen, daß beschränkte Umstände manchem meiner Wünsche Fesseln auflegen, so habe ich stets gewünscht, einen Beruf zu haben, und so bin ich während nachdenklicher Stunden der Krankheit darauf verfallen, daß das Uebersetzen aus fremden Sprachen mich nicht sehr anstrengen, mich angenehm zerstreuen und mir nebenbei ein kleines Taschengeld verschaffen würde. Daß letzteres recht unbedeutend wäre, weiß ich, doch das thut nichts; ich habe einen wahren Feuereifer und möchte am liebsten schon begonnen haben. Die Schwierigkeiten sind aber, wie ich es mache, keine Autorenrechte zu verletzen; auf welche Weise finden sich Schriftsteller u. Uebersetzer ab; muß ich im Vorhinein die Erlaubnis zum Uebertragen ›in mein geliebtes Deutsch‹ einholen; und dann der Verlegergraus. All' dies macht mir fürchterliche Angst; ich kenne diese Verhältnisse gar nicht, und Sie lieber Herr Franzos, kennen sie sehr genau. [...] Daher bitte ich sehr, daß Sie so liebenswürdig sind mir anzuzeigen, ob und wann Sie mir eine Viertelstunde gönnen wollen u. wo ich Sie aufsuchen darf. Und nicht wahr, Sie entmutigen mich nicht; denn ich meine es, weiß Gott, nicht als Spielerei eines launenhaften Mädchens zu treiben, sondern als ernste Arbeit, wie ich's von Kindheit auf gewöhnt bin. Und zu solch' literarischem Kunsthandwerk dürfte mein Können ausreichen. Ihrer gütigen Antwort ungeduldig entgegensehend, bin ich [...] Ihre ergebene Marie Herzfeld«.[28]

Herzfelds wichtige Vermittlung skandinavischer Literatur nach Deutschland lief zunächst über Samuel Fischer, der ihre Vorschläge außerordentlich konstruktiv fand. Als sie 1898/99 die erste Gesamtausgabe der Werke Jens Peter Jacobsens, die sie großenteils selbst übersetzt hatte, bei Diederichs herausgab, formuliert Herzfeld ihr Anliegen so: Sie habe versucht, »den Eigentümlichkeiten Jacobsens getreu zu folgen [...], daß der deutsche Leser so ziemlich den Eindruck empfange und ebenso über Jacobsen urteilen könne wie der Däne«.[29] Dazu praktiziert sie eine Form sprachlich-stilistischer Mimesis, bereit, »die bequeme glatte Schönheit zu opfern um charakteristisch zu sein«. Sie habe »die seltsamen Konstruktionen von Jacobsens Stil nachgeahmt, weil er auch dort, wo er verschroben und regellos scheint, einer inneren [...] Notwendigkeit folgt.«[30] Worum es ihr also geht, ist Genauigkeit und das Anerkennen und Sichtbarmachen des je spezifisch Anderen des fremden Textes.

Jens Peter Jacobsens »Niels Lyhne«, den sie gleichsam entdeckte und dessen Namen sie sich als Pseudonym ausborgte (H.-M. Lyhne), wurde zum Kultbuch für die symbolistischen Autoren der Jahrhundertwende. Deutliche Spuren hinterließ er in Rilkes »Malte Laurids Brigge« mit seinem Programm des ›Neuen Sehens‹; Herzfelds Rolle dabei wird zumeist übersehen. Ihr eigener Kommentar zu »Niels Lyhne« jedenfalls ist bemerkenswert: »So lang und scharf zuschauen, bis man nicht bloß alles ganz genau sieht, sondern auch das Unterscheidende merkt, das Charakteristische merkt. Alles das hat Physiognomie und nicht in zwei Momenten die gleiche. Diese Überzeugung ist heutzutage durch Claude Monet und die moderne Malerei, durch die Goncourts und ihre Nachfolger schon fast ein Gemeinplatz geworden: Jacobsen hat sie für sich neu erworben; er hat so recht gelehrt, in der Art zu schreiben, wie Maler malen. Alle, die mit ihm strebten und nach ihm kamen, sind von ihm beeinflußt. Man schreibt, man denkt, man urteilt, ja, man fühlt seither anders [...].«[31]

Das genaue Sehen, das Differenzen produziert und die Aufmerksamkeit für die Physiognomie der Dinge weckt, ist eine Qualität, die, wie noch zu zeigen sein wird, auch Herzfelds Kommentare in den von ihr herausgegebenen Texten zur italienischen Renaissance auszeichnet.

In den neunziger Jahren erschienen ihre Aufsätze und Rezensionen in der »Gesellschaft«, in der Wiener »Modernen Dichtung« bzw. »Modernen Rundschau«, in der »Neuen Wiener Bücher-Zeitung«, der »Wiener Litteratur-Zeitung« und in der von Hermann Bahr gegründeten Wiener »Zeit«. Ein Teil der Kritiken und Essays wurde in den beiden Sammelbänden »Menschen und Bücher« (1893) und »Die skandinavische Literatur und ihre Tendenzen« (1898) wieder abgedruckt.[32] »Menschen und Bücher« schickte sie gleich nach Erscheinen an Franzos mit den Sätzen: »Sie waren der erste, der mir zur Literatur verhalf; es ist nur billig, wenn ich Ihnen mein erstes Buch zusende. Schenken sie ihm Ihre wolwollende Beachtung und helfen Sie ihm durch die Welt. Sie werden ihm nicht immer zustimmen, aber ich hoffe, Sie erkennen darin ein redliches Suchen nach Wahrheit und ein Streben, dem Dasein einen Sinn und eine Zukunft aufzuzwingen.«[33] Mit ihrem Projekt einer sinnstiftenden ›Übersetzung‹ kultureller Phänomene weckt Herzfelds Stimme Anfang der neunziger Jahre das Interesse der »Jung Wiener« Autoren. In seiner großen Monographie über den S. Fischer-Verlag schreibt Peter de Mendelssohn, daß aus Marie Herzfelds Essays, »auch wenn heute kaum ein Literaturkalender ihren Namen mehr erwähnt – eine der gescheitesten und kenntnisreichsten Frauen ihrer Zeit [spricht], die mit einem geradezu hellsichtigen Spürvermögen begabt war.«[34] Wenn man ihre Essays und Buchbesprechungen charakterisieren sollte, so ist sie jemand, der wie der Norweger Ola Hansson oder Hermann Bahr in Wien zunächst die Schreibprogramme des Naturalismus affirmiert, kritisch reflektiert und schließlich nach Ganzheitskonzepten sucht, welche die in Einzelbeobachtungen zerfallene Welt wieder überschaubar machen könnten.

Schon in ihrer Rezension von Hermann Bahrs programmatischer Aufsatzsammlung »Die Überwindung des Naturalismus« (1891) kann man diese Suche nach Orientierung in Ansätzen erkennen: »Für uns sind die Evolutionen des Naturalismus noch nicht vollzogen; wir haben kaum die Anfänge einer psychologischen Dichtung; wie also totschlagen, was noch nicht geboren ist? Wir haben uns kaum umgeschaut in der Wirklichkeit und schon wird uns philosophisch bewiesen, daß sie gar nicht existiert? Ja, wer zwingt uns Deutsche denn, die neue Kunst auf die Parole ›Wahrheit, Wahrheit!‹ zu dressieren? Die Wahrscheinlichkeit genügt – nur daß wir heutzutage den Anspruch auf Wahrscheinlichkeit ganz anders prüfen, wir, die wir die strenge Schulung durch die Naturwissenschaften auch vom Künstler verlangen.«[35] Diese Art wissenschaftlicher Schulung als eine Methode, Wahrnehmungen zu organisieren, verlangt Herzfeld später nicht mehr. Die Forderung nach »Wahrscheinlichkeit«, »Wirklichkeitsnähe«, »Lebensfülle« bleibt. Realismus im Sinne von Lebendigkeit, Vielfalt der Darstellung und schließlich auch »Erdverbundenheit« bleibt ein konstantes Element ihres kritischen Referenzsystems.

Es läßt sich auch als das geheime Ethos ihrer späteren Renais-
sance-Reihe bezeichnen. Einerseits nimmt Herzfeld dort kulturhistorische Phänomene liebevoll ins Visier und ›dramatisiert‹ sie
durch Anekdoten und Geschichten, andererseits zitiert sie exten-
siv aus leichter oder schwerer zugänglichen weiteren Quellentexten, um dem Kommentar die Kraft und Kompetenz der
Sacherklärung zu verleihen. Wie diese Aufmerksamkeit für das
scheinbar so belanglose Alltagsdetail geweckt wird, kann stellvertretend ein Kommentar aus Landuccis »Florentinischem Tagebuch« illustrieren:

»Die Ringe, die man an den verschiedenen Stockwerken italieni-
scher Paläste wahrnimmt, dienten verschiedenem Zwecke – die
an den Toren als Türklopfer, die übrigen, an der Front des Erd-
geschosses, ursprünglich zum Anbinden der Pferde (in Venedig
der Gondeln), an den Ecken zum Anstecken der Fahnen: die in
regelmäßigen Abständen angebrachten Ringe an der Front des
Ergeschosses der Paläste jedoch hatten nurmehr dekorativen
Zweck. Die Ringe an den oberen Stockwerken benutzte man
zum Durchziehen von Eisenstangen, an denen Vorhänge befe-
stigt wurden; auch band man hie und da wohl ein Hündchen an,
das auf der Fensterbrüstung Luft schöpfen wollte oder einen Vo-
gelkäfig ...«.

Anthony Grafton bezeichnet die Fußnote als »distinkt moderne
Form einer narrativen Architektur«,[36] der sich die Historiker im
19. Jahrhundert bedient hätten. Herzfeld benutzt diese Form –
ohne allerdings im ›Erdgeschoß‹ der Texte Kleinkriege zu
führen, wie ihre akademischen Kollegen, und ohne den eigenen
Diskurs zur ›eigentlichen Erzählung‹ zu erheben. Sie setzt ihre
Leser stattdessen entweder mit einem anschaulichen Narrativ
auf die Fährte des Textes, wie in der 56seitigen Einleitung zu
Matarazzos »Chronik von Perugia«, oder sie nimmt sich die
Freiheit, mehr als Dreiviertel (!) des Umfangs, wie im Falle des
»Florentinischen Tagebuchs« von Landucci, für ihren Kommentar ›unter dem Strich‹ zu beanspruchen. Obwohl ihr selbst
»diese Methode [...] wider den Geschmack« geht, verteidigt sie
sich mit triftigen Gründen für diesen Exzess: »Zu ihrem eigenen
Schrecken sah sie [Herzfeld. U.R] die Erläuterung immer breiteren Raum verlangen, bis am Schluß die Fußnote den Text ganz
verdrängte. Mag sein, daß die Freude an einem malerischen
Wort, an einem charakteristischen Zug, an einer bezeichnenden
Anekdote oder auch nur der Wunsch, das Kulturbild reicher zu

gestalten, sie manches Mal über das notwendige Maß hinaus
verlockten; der Hauptgrund für den überwuchernden Kommentar liegt aber bei Landucci selbst. Sein Diarium war ein Merk-
buch; er sprach vom Tag und seinen Dingen zu solchen, die den
Tag miterlebt hatten und solchen, die aus der Überlieferung heraus an der Hand eines solchen Leitfadens wohl imstande waren,
sich im Geiste zu ergänzen, was der Schreiber verschwieg. An
die Stelle dieser Überlieferung, die in Italien noch heute nicht er-
storben ist, mußte der Kommentar treten.«[37] Herzfelds Kommentar wird so zum Supplement, das dem Text seinen (alltags-)
kulturellen Kontext gleichsam ›szenisch‹ hinzufügt; zum anderen ›übersetzt‹ er, wo die historische Quelle Leerstellen produziert.

Was Jacob Burckhardt mit seiner »Kultur der Renaissance« im
›piano nobile‹ des Haupttextes versucht historische Kultur-
räume narrativ wiederzubeleben, und was Herzfeld selbst als
Übersetzerin aus anderen Sprachen praktiziert, nämlich die Vermittlung des Fremden oder andernfalls Unzugänglichen, das
beides verbindet sie in ihren ›Paratexten‹ (Genette) – der Einleitung bzw. dem Kommentar – zu den Zeugnissen der italienischen Renaissance. So gelingt es ihr, diesem Narrativ des Kommentars, stilistisch souverän, einen unverwechselbar eigenen
Ton zu geben.[38]

Was gewinnt der Leser dabei? Ihm soll, so kann man Herzfelds
Kommentare lesen, ein in vieler Hinsicht fremder Text nicht nur
über den Sacherklärungen verständlich werden, sondern Geschichten, Anekdoten und ›szenische Bilder‹ sollen ihm Vergangenheit[39] in ihrer Fremdheit emotional nahebringen, fremde und
eigene Kultur verbinden. Insofern geht sie über das Verfahren
der ›historischen Interpretation‹ hinaus, auf dem sie gleichwohl
aufbaut.[40] Gerade die scheinbar nebensächlichen Dinge der Vergangenheit werten, das ist ihr Geheimnis, die Alltags- und Le-
benserfahrungen des Lesers auf: ›one can relate‹. So gesehen
dient Herzfelds Arbeit am kulturellen Gedächtnis der lebendigen
Gegenwartserfahrung. Bezogen auf das Beispiel der Ringe: Historische Distanz wird über alltägliche Handlungen verständlich, weil sich an sie Geschichten knüpfen lassen und so Bedeutung und Sinn. Allgemeiner: der ›Kommentar‹ bricht den diskursiven Rahmen des Textes auf und führt einen weiteren Denk-
und Vorstellungsrahmen ein – einen Rahmen, der es ermöglicht,
das Gelesene mit der eigenen Alltagswirklichkeit oder den eige-

nen Phantasien in Beziehung zu setzen. Er vermehrt nicht in erster Linie (philologisch-historische) Kenntnisse, sondern führt *links* ein zur Gegenwart des Lesers. Er sucht starres Wissen über den Weg des emotionalen Engagements gleichsam zu verflüssigen; entsprechend gibt Herzfeld keine generalisierbaren Urteile über kulturelle Objekte ab, sondern sie will, hier geht sie konform mit Dichtern wie Hofmannsthal, ›Cultur‹ erlebbar machen: »Wir müssen nicht bloß wissen, was geschah, sondern wie es geschah, nicht bloß, daß die Leute, und warum sie sich totschlugen, sondern auch, auf welche Art sie *lebten*. Wir müssen den gewesenen Tag studieren, das gewöhnliche Dasein von ehemals, die Sitten und Meinungen, die Gedanken und Gefühle, ja, jenes Flüchtige, das man die *Stimmung* einer Zeit nennt, mit einem Wort, den ganzen Komplex jener Erscheinungen, die die Grundlage und zugleich die feinste Essenz eines Kulturzustandes sind.« ›Kultur‹ erschöpft sich für Herzfeld nicht im Wissen über eine Epoche, »sondern es liegt darin, daß wir fühlen, dort und damals [...] sind die Wurzeln unserer eigenen Zeit.«[41]
Versucht man eine solche Position an den Rändern der Wissenschaft historisch und systematisch benennen, so kann ein Blick auf die zeitgenössische Kulturkritik, wie sie im Wien Anfang der neunziger Jahre etwa Hermann Bahr vertrat,[42] weiterführen. Mit Hermann Bahr trifft sie sich in der Diagnose einer in Wissensordnungen zerfallenden Gegenwart, die ein ganzheitlich wirkender – kunst- bzw. kulturwissenschaftlicher – Blick wieder zusammenführen könnte. Was Hermann Bahr in seiner »Kritik der Moderne« fordert, gilt analog auch für Marie Herzfelds ›Vermittlungsprogramm‹:
»Bisher schildert die Kunstgeschichte [die für Bahr den Status einer ›Kulturwissenschaft‹ besitzt. U.R.] blos, was da war. Sie ist ein Repertorium der Vergangenheit. Sie muß sich endlich entschließen, auch zu schildern, wodurch es kam, daß das wurde, warum das so war. Sie muß sich entschließen, *ein Kommentar* der Vergangenheit zu werden. [...]
Ueber ein Menschenalter haben wir in *emsiger Detailforschung* verbracht und undankbar wäre es, die Ergebnisse dieses Eifers gering zu schätzen. Aber darüber ist doch heute kein Zweifel mehr, daß diese lange, mühevolle, in ihrer Art bewundernswerte Detailforschung wertlos ist und ebenso gut ungethan geblieben wäre, wenn nicht die Verwendung ihrer Früchte durch den Geist erfolgt. Darüber ist doch heute kein Zweifel mehr, daß die reiche

Fülle aufgehäufter Baustücke unnütz und sinnlos ist, wenn man mit ihr nicht endlich auch wieder Aufbau versucht. Darüber ist doch heute kein Zweifel mehr, daß die aufgeschichtete Masse trägen Rohmaterials uns bis zum Ersticken beklemmt und wir erst dann wieder aufatmen werden, wenn die Forschung daraus das kühne Gefüge eines frisch ragenden Domes gestaltet. *Das todte Vermächtnis der letzten Generation mit Leben zu erfüllen*, das ist die Aufgabe unseres Geschlechtes. Diese Belebung kann nur geschehen durch *Vereinigung des bisher Gesonderten*, durch Aufhebung der Schranken, die zünftige Mißgunst zwischen den einzelnen Wissenschaften gezogen. Aber die einzelnen Glieder des zu errichtenden Baues zusammenzufügen, bedarf es eines verbindenden Kittes. Es bedarf einer erlösenden Formel, die in die tote Zerstreuung des Zusammenhang des Lebens bringt. Es bedarf einer *Centralwissenschaft*, wie Riehl einmal gesagt hat, die das Getrennte verbindet und das scheinbar Fremde vermittelt. / Eine solche Centralwissenschaft war früher die Philosophie. [...] [Es gilt] in der gegenwärtigen Zerfahrenheit zu einer einheitlichen Weltanschauung, aus der Zersplitterung zur Ganzheit, aus [...] zufällig Vorgefundenem endlich wieder zur Einsicht ins Notwendige zu gelangen. Und nicht darauf, daß wir das Zerstreute der letzten Forschung auf Grund einer unanfechtbaren Theorie verbinden, kommt es an, sondern darauf, daß wir es überhaupt wieder *irgendwie* verbinden, bevor wir in der Zerstreuung verzweifeln.«[43]
Nach Bahr kann 1. die ›Zerstreuung‹ und Kontingenz der (durch den Positivismus hervorgebrachten) Detailforschung durch den ›Kommentar‹ überwunden werden; dafür braucht es 2. nach dem Ende der Leitwissenschaft ›Philosophie‹ wieder eine neue ›Centralwissenschaft‹. Das Mittel kann 3. nicht der Überbau einer ›Theorie‹ oder eines ›Meta-Diskurses‹ sein, sondern es reicht aus, wenn »irgendwie« Zusammenhang gestiftet würde.
Dieses »Irgendwie« ist genau die Leerstelle, so wäre meine These, in die Marie Herzfeld sich als frühe ›Kulturwissenchaftlerin‹ mit ihren Kommentaren einschreibt.
Ihre Kommentare ›unter dem Strich‹ lassen sich somit nicht nur geistesgeschichtlich als eine Fortsetzung historistisch-naturalistischer Konzepte verstehen, sondern auch als eine Reaktion auf die wachsende Ausdifferenzierung der Systeme in der zweiten Hälfte des 19. Jahrhunderts, die Fragmentierung und Spezialwissen befördert haben. Das »Pathos des Alltäglichen« (Hof-

mannsthal im »Brief« des Lord Chandos), das dabei in den Blick kommt und das als ›Poetik der Kultur‹ auch gegenwärtig noch – jedenfalls in Teilen – Ethnologie und Kulturwissenschaft leitet, hat noch keine klar definierte Methode (›irgendwie‹) und keinen institutionellen Ort.

Die traditionelle Hermeneutik Schleiermacherscher Prägung hatte den Kommentar ausgeklammert und die Wort- und Sacherklärungen den Philologien und der ›historischen Interpretation‹[44] übereignet, wo sie dann, mühselig und prestigelos, zum ungeliebten Kind der Wissenschaften verkam. Solcherart heimatlos geworden, greift Herzfeld nun am Beginn des 20. Jahrhunderts dieses Waisenkind geradezu besessen wieder auf. Wissenschaftssystematisch macht sie aus dem puntuellen und diskontinuierlichen Textstellenkommentar einen kontinuierlichen Text. Man könnte sagen, daß ihr Kommentar den ›kulturwissenschaftlichen Blick‹ als historische Interpretation ins Erdgeschoß der Quellentexte einbaut. Verstehen wir Kultur als ›Text‹, so wäre Kulturwissenschaft an dieser historischen Schnittstelle um 1900 die Interpretation unbegreiflicher Stellen in diesem ›Text‹.

Beides, Ganzheitsprogramm, d. h. die Suche nach einer kulturellen Einheit des Heterogenen, und die Aufmerksamkeit für die heterogenen Details der Kulturgeschichte gehen dabei in Herzfelds Kommentaren eine Liaison ein.

Die Quellensammlung zur italienischen Kultur der frühen Neuzeit im Diederichs-Verlag, die Herzfeld zwischen 1910 und 1927 unter dem Titel »Das Zeitalter der Renaissance. Ausgewählte Quellen zur Geschichte der italienischen Kultur« herausgab, kann man ohne Übertreibung als ihr großes Lebensprojekt bezeichnen.[45] Die Sammlung war ursprünglich auf das gigantische Volumen von 70 bis 100 Bänden angelegt.[46] Herzfeld organisierte die Bandherausgeber und betreute das Ganze zusammen mit ihrem Verleger Eugen Diederichs.[47] Nach zwei Serien, von denen in der ersten statt der geplanten zwölf nur die ersten zehn Bände, und von der zweiten statt der geplanten weiteren zwölf nur vier Bände erschienen, mußte das Mammutprojekt 1927 eingestellt werden. Es kam auch nicht mehr zu der schon 1912 angekündigten Mitarbeit von Aby Warburg.[48] Auf dem Buchmarkt war das Unternehmen ein Mißerfolg. In der Inflationszeit wurden kaum hundert Exemplare pro Band verkauft, der »Erstjahrsabsatz der Vorkriegsbände hatte zwischen 325 und 633 (Landucci I) Bänden gelegen«.[49]

Weder konnte also mit diesem randständigen Projekt das breite Publikum erreicht werden[50] – soviel anders als die Bestsellertitel, die Herzfeld 1891 kommentiert hatte –, noch auch die akademische Zunft. Das hoch ambitionierte Unternehmen, konzipiert aus dem *off* der Wissenschaften, mußte den Preis zahlen, weder die breite noch die akademische Öffentlichkeit zu erreichen. Als ›Zwischen-Ding‹ war es schlechterdings nicht marktfähig.

Versucht man ein Resümé zu ziehen, für das ›Irgendwie‹ kultur-wissenschaftlicher Anfänge, wie sie sich am Beispiel Marie Herzfelds zeigen, so finden sie an den unscharfen Rändern der Disziplinen statt und in dem diffusen Feld zwischen populärem Lesestoff, Sachbuch und wissenschaftlicher Literatur. Ökono-misch ein Mißerfolg, wissenschaftlich nichts so Großartiges wie ein Paradigmenwechsel oder eine ›große Erzählung‹ im Sinne Jacob Burckhardts und auch keine Kultursoziologie wie im Falle Georg Simmels, stiftet Herzfeld lediglich Supplemente, die den Blick auf kulturelle Gegenstände schärfen sollen. Wenn Kultur die Summe der sozialen Aufmerksamkeit ist (G. Franck), so würde Herzfeld in einem Hin und Her zwischen Text und viel-stimmigem Kommentar Aufmerksamkeit umzuverteilen suchen. Ihre Funktion wäre die eines Relais. In ihrer eigenen Sprache: Aus der Beobachtung ihrer Lebenswelt und der Lektüre von Büchern habe sie etwas von sich selbst erfahren, womit sie wie-derum Modi habe gewinnen können, Menschen und Bücher zu verstehen. An den Anfängen, so scheint es, stehen die Autodidak-ten mit ihrer bescheidenen Besessenheit. Herzfeld im O-Ton: »Die nachfolgenden Aufsätze maßen sich nicht an irgend welche Autorität zu besitzen. Sie sind nicht Frucht gelehrter Bildung: sie erheben sich nicht zu kühler Objectivität. [...] Ich habe nichts versucht, als im Studium von Menschen und Büchern mich selbst zu verstehen und aus mir heraus Menschen und Bücher zu begreifen.«[51]

ANMERKUNGEN

[1] Vgl. Georg Bollenbeck: Bildung und Kultur. Glanz und Elend eines deutschen Deutungsmusters. Frankfurt a.M. 1994.

[2] Und er fordert: »Übereinstimmung wäre aufs höchste anzustreben, gegenseitiges Verständnis, Duldung, eine größere Dichtigkeit des Lebens.« Hugo von Hofmannsthal: Erfundene Gespräche und Briefe. Hg. von Ellen Ritter. Frankfurt a.M. 1991 (Sämtliche Werke Bd. XXXI), S. 404. – Was die Begriffsschwemme im System der Wissenschaften am Ausgang des 19. Jahrhunderts bedeutet, beschreibt Bollenbeck so: »Neue Bindestrich-Wissenschaften wie ›Kulturphilosophie‹, ›Kulturwissenschaften‹, ›Kultursoziologie‹, ›Kulturpsychologie‹, schließlich auch die ›Kulturgeschichte‹, welche wieder im Kurs steigt, zeigen an, daß ›Kultur‹, hochgeschätzt, in den Wissenschaften als kontextfreier Sinnträger aspektmonistisch wird: was ihr zugeordnet werden kann, das erscheint per se sinnvoll, was untersucht wird, soll von der ›Kultur‹ her bestimmt werden. In der Bildungssprache wie in der Wissenschaftssprache stehen die Begriffe im Zentrum diskursiver Turbulenzen. Ihr kommunikatives Eigengewicht erhöht sich, sie werden in der gesellschaftlichen Kommunikation auffälliger. Über ihren Umfang und Inhalt entsteht ein neuartiger Streit.« Bollenbeck: Kultur, S. 231.

[3] Zum Befund vgl. Jonathan Culler: What is Cultural Studies? In: The Practice of Cultural Analysis. Exposing Interdisciplinary Interpretation. Hg. von Mieke Bal unter Mitarb. von Bryan Gonzales. Stanford 1999, S. 335-347, 344.

[4] »If literary studies is subsumed into cultural studies, this sort of ›symptomatic interpretation‹ might become the norm; the specificity of cultural objects might be neglected, along with the reading practices which literature invites [...]. The suspension of the demand for immediate intelligibillty, the willingness to work on the boundaries of meaning, opening oneself for the unexpected, productive effects of language and imagination, and the interest in how meaning and pleasure are produced – these dispositions are particularily valuable, not just for reading literature but also for considering other cultural phenomena, though it is literary study that makes these reading practices available.« Jonathan Culler: Literary Theory. A very short introduction. Oxford 1997, S. 52.

[5] Culler: Theory, S. 43f.

[6] So etwa, wenn die Analyse der kulturellen Codes und Praktiken zu dem Ergebnis führt, daß sie Menschen von ihren genuinen Interessen entfremdet und lediglich Bedürfnisse produziert, die sie haben sollen, oder andererseits die Vorstellung, daß die Populärkulturen Ausdruck von so etwas wie ›authentischen‹ Werten sind. Vgl. Culler: Literary Theory, S. 46.

[7] Culler: Theory, S. 48.

[8] Culler: What is Cultural Studies?, S. 342.

[9] Bill Readings: The University in Ruins (1996). 2. Aufl. Cambridge/London 1997.

[10] Jon Cook: The Techno-University and the Future of Knowledge: Thoughts After Lyotard. In: The Practice of Cultural Analysis, S. 303-324.

[11] Vgl. Culler: What is cultural studies, S. 344 und Readings: University, S. 91.

[12] Vgl. dazu Eugen Diederichs Lob gegenüber Rilke (29.12.1903): »Marie Herzfeld ist meine Leonardo-Übersetzerin und von einer überaus großen Gewissenhaftigkeit. In ihrer Auswahl kommt eine große Verwandtschaft Leonardos mit Goethe zu Tage, die mich außerordentlich frappiert. Ich weiß aber nicht, wie weit das auf Rechnung der Art der Auswahl zu setzen ist«.

[13] Eugen Diederichs: Aus meinem Leben. Jena o.J (1927). Sonderausgabe 1936, S. 100. – Es sei gestattet, bei diesem schönen Wort vom ›Eigensinn‹ an Hegel zu erinnern: »der eigene Sinn ist ›Eigensinn‹, eine Freiheit, welche noch innerhalb der Knechtschaft stehenbleibt. Sowenig ihm die reine Form zum Wesen werden kann, sowenig ist sie, als Ausbreitung über das Einzelne betrachtet, allgemeines Bilden, absoluter Begriff, sondern eine Geschicklichkeit, welche nur über einiges, nicht über die alleinige Macht und das ganze gegenständliche Wesen mächtig ist«. Hegel: Phänomenologie des Geistes (1807). Frankfurt a.M. 1970, S. 155.

[14] Im Bereich der skandinavischen Literatur ist wohl am wichtigsten die Übersetzung der Werke von Jens Peter Jacobsen; darüber hinaus hat sie u. a. Arne Garborg, Ola Hansson, Jonas Lie und Knut Hamsun ins Deutsche übertragen. Vgl. dazu Alken Bruns: Übersetzung als Rezeption. Deutsche Übersetzer skandinavischer Literatur von 1860-1900. Neumünster 1977 (Zur Rezeption skandinavischer Literatur in Deutschland 1870 bis 1914. Teil 2), S. 149-174. Der Stil von Herzfelds Übersetzungen trug nicht unerheblich zur ›Überwindung des Naturalismus‹ bei (s.u.).

[15] Neben ihren Bänden über Leonardo da Vinci. Der Denker, Forscher und Poet. Nach den veröffentlichten Handschriften. Auswahl, Übersetzung und Einleitung von Marie Herzfeld. Jena 1904, und Leonardo da Vinci: Traktat von der Malerei. Hg. und übersetzt von Marie Herzfeld. Jena 1909, sind zu nennen die im Rahmen ihrer 1910 begonnenen Reihe »Das Zeitalter der Renaissance. Ausgewählte Quellen zur Geschichte der italienischen Kultur« von ihr selbst übersetzten, umfangreich eingeleiteten bzw. kommentierten Bände Francesco Matarazzo. Chronik von Perugia 1492-1503. Jena 1910, und Luca Landucci: Ein Florentinisches Tagebuch 1450-1516. Nebst einer anonymen Fortsetzung 1516-1542. 2 Bde. Jena 1912. Zu Herzfelds Verlagstätigkeit und der Rolle, die der kulturhistorische und kulturwissenschaftliche Interessenhorizont des Verlegers spielte, s. Irmgard Heidler: Der Verleger Eugen Diederichs und seine Welt (1896-1930). Wiesbaden 1998 (Mainzer Studien zur Buchwissenschaft. 8).

[16] Sie kann sich problemlos Hermann Bahrs kulturdiagnostischen Essays an die Seite stellen und braucht auch den Vergleich mit denen des frühen Hofmannthal nicht zu scheuen. Der Respekt, den der junge »Loris« ihr entgegenbrachte, dokumentiert das. Vgl. Hugo von Hofmannsthal: Briefe an Marie Herzfeld. Hg. von Horst Weber. Heidelberg 1967. S. dazu weiter unten.

[17] Vgl. Wolf Lepenies: Die drei Kulturen. Soziologie zwischen Literatur und Wissenschaft. München 1985, S. 236.

[18] Herzfeld: Felix Dörmann. Eine vorläufige Studie. In: Moderne Dichtung 2, 1890, S. 748-751. Wieder abgedruckt in: Das Junge Wien. Österreichische Li-

teratur- und Kunstkritik. Hg. von Gotthart Wunberg. 2 Bde. Tübingen 1976, S. 139.

[19] Herzfeld: Die meist gelesenen Bücher. In: Wiener Literatur-Zeitung 2, 1891, S. 1-3; wieder abgedruckt in: Das Junge Wien, S. 227-232, 227f.

[20] Weiter heißt es in ihrer differenzierten Zeitdiagnostik: »Aehnlich auf geistigem Gebiet. Man war des Sieges der Vernunft so überzeugt gewesen; man hatte gemeint, die Hand an die letzten Dinge zu legen; man schwor auf die neuen Wahrheiten [...], und als der allzu rasch aufgeführte Bau des Darwinismus sich nicht überall als solid erwies, zog man einfach nicht hinein. Skepticismus nach allen Seiten, Koketterie nach allen Seiten; man ist mit allen Denkweisen vertraut und in keiner seßhaft; man ist ungläubig und versteht dilettantisch die Inbrunst der Frömmigkeit; man hält sich alle Wege zwischen Himmel und Erde frei und harrt von irgendwoher einer großen Offenbarung.

In dieser Stagnation des Geistes war nur Eines lebendig geblieben, *eine* Fähigkeit unangetastet und handlungskräftig, – das uralte Angebinde der Schlange, die menschliche Neugier. Oder, wenn man will, der menschliche Wissenstrieb. So sehr hatte der Pessimismus doch noch nicht alle Seelen zerfressen, als daß man aufgehört hätte zu fragen und der Wurzel all' jener Uebel nachzuspüren, an denen unsere Zeit so bitter leidet. Man suchte sie da und dort, – der Eine draußen, in den öffentlichen Zuständen, in jenem Conglomerat von moralischen und wirthschaftlichen Verhältnissen, die man ›die heutige Gesellschaftsordnung‹ nennt, der Andere innen, in den Tiefen und Untiefen des menschlichen Wesens, in der geheimnißvollen Zusammengesetztheit unserer Natur; dem Einen schien es ein sociales Problem, dem Anderen ein psychologisches zu sein, und diese doppelte Problemstellung verkörpert sich in der heutigen Literatur. [...] Die Schriftsteller unserer Zeit, sie haben alle die schreckliche geistige Krisis durchgemacht, welche das gemeinsame Theil unserer Generation ist; das tiefe Verständniß für die Leiden der Gegenwart, das ist's, was dieser gar nicht heiteren, gar nicht erquicklichen, gar nicht gemüthlichen Literatur ein Volk von Lesern wirbt. Diese Bücher sprechen aus, was der Laie dumpf empfindet; sie lösen ihm das Herz, sie geben seinen Gedanken zusammengefaßten Stoff und Richtung [...]. Der Leser von heutzutage ist ein dilettirender Revolutionär [...] ein Revolutionär im Ei, ein unschädlicher vorderhand; denn er ist skeptisch. Wie er jedes Dogma bezweifelt, so bezweifelt er seine eigenen Zweifel. Er wird gläubig vor lauter Zweifel, dumm vor lauter Gescheidtheit. Er wirft die Religion über Bord und nach ihr die Wissenschaft. Seine Seele vertraut er dem Arzte an und wenn der Körper krank ist, geht er zum Priester. Die Medicin hebt er in den Himmel empor, so oft die Reclame ihm Wunder verspricht; das Natürliche leisten kann auch Kneipp und die Natur. Wenn wir den Wörrishofener Pfarrer nicht hätten, man müßte ihn sich erfinden, um das Bild unserer Zeit zu ergänzen, ein Bild, das man in einer Formel ausdrückt, wenn man die Namen Ibsen, Zola, Tolstoi, Bourget und Kneipp, die Namen der meist gelesenen Autoren unserer Tage, nebeneinander setzt.« Herzfeld: Die meist gelesenen Bücher, S. 231f.

[21] Vgl. dazu Klaus Weimar: Literaturwissenschaftliche Texte als Modelle des Sozialverhaltens. In: Literaturwissenschaft. Einführung in ein Sprachspiel. Hg. von Heinrich Bosse und Ursula Renner. Freiburg 1999, S. 443-457. S.

auch das Zitat von Herzfeld am Ende meines Beitrags.

[22] Zu den biographischen Angaben s. Bruns, der sie von einer Nichte Herzfelds hat (ders.: Übersetzung als Rezeption, S. 196).

[23] Vgl. Schnitzlers Brief an Marie Reinhard vom 22.6.1897. In: Ders.: Briefe 1875-1912. Hg. von Therese Nickl und Heinrich Schnitzler. Frankfurt a.M. 1981, S. 330.

[24] In den achtziger Jahren wohnte sie am Fleischmarkt 10, in den neunziger Jahren in der Rotenturmstr. 22.

[25] Der Nachlaß Herzfelds wurde verkauft. Soweit ich sehe, befindet sich ein Teil in London, es gibt Briefe in skandinavischen Archiven, in Wien befinden sich Briefe in der Stadtbibliothek und in der ÖNB, in Deutschland in der Berliner Staatsbibliothek, im Deutschen Literaturarchiv in Marbach, in der Münchner Stadtbibliothek und der Bayerischen Staatsbibliothek, im Kölner Theatermuseum, in der UB Münster und in Nürnberg.

[26] Es waren um 1900 in der Regel Frauen: So übersetzten für den Fischer-Verlag beispielsweise Marie von Borch, Emma Klingenfeld, Mathilde Mann, Julia Koppel, Therese Krüger, Gertrud Ingeborg Klett, Pauline Klaiber und Marie Franzos. Vgl. Peter de Mendelssohn: S. Fischer und sein Verlag. Frankfurt a.M. 1970, S. 150.

[27] Ottilie Franzos, geb. Benedikt (1856 Wien – 1932 Wien), die Frau von Karl Emil Franzos (1848-1904), war ebenfalls Schriftstellerin (Pseudonym F. Ottmer).

[28] Stadtbibliothek Wien IN 37.648. Den Hinweis darauf verdanke ich Karen Gallagher.

[29] Herzfeld: Einleitung. In: Jens Peter Jaocobsen: Gesammelte Werke. Aus dem Dänischen von Marie Herzfeld. Bd. 1. Florenz/Leipzig 1899, S. XLVII.

[30] Ebd.

[31] Zit. nach de Mendelssohn: S. Fischer, S. 150f.

[32] Vgl. auch den Nachweis und auszugsweisen Abdruck der über zwanzig Rezensionen Herzfelds, die Gotthart Wunberg in seiner zweibändigen Anthologie über das »Junge Wien« versammelt hat (S. 1239f.).

[33] Weiter heißt es: »Das Leben für den Moment und im Moment ist nur den ganz Unglücklichen und ganz Hoffnungslosen zu verzeihen; ich hasse die Finalität des ›après moi le déluge‹ und bewundere alles starke nur positive Wollen, das Zukunftsarbeit ist.
Darum respectire ich die Skandinaver (!); sie haben noch Mut und Vertrauen; sie sind nicht müde und fertig.« (22.12.1892) Stadtbibliothek Wien, IN: 36942.

[34] de Mendelssohn: S. Fischer, S. 150. Max Mell schreibt aus Warte ihrer gemeinsamen Begegnung anläßlich ihres 100. Geburtstages ein bewunderungsvolles Porträt: »dieser eigensinnige Kopf [...], das war, wie es Menschen eigen ist, die selbst ihr Los bestimmen: diese grundgescheiten Augen [...] gehörten einem Menschen, der sich zu entscheiden wußte, auch wenn es ein Alleinsein galt, und der, auch ohne selbst Künstler zu sein, der Art der Ebner-Eschenbach und Ricarda Huch nahestand.« (Ders.: Gedenken an eine bedeutende Frau. Zum hundertsten Geburtstag Marie Herzfelds. Die Presse 1955, S. 15.

[35] Marie Herzfeld: Hermann Bahrs »Die Überwindung des Naturalismus«, in: Wiener Literatur-Zeitung Nr. 10, 1891, S. 10.

[36] Anthony Grafton: Die tragischen Ursprünge der deutschen Fußnote (1995). München 1998, S. 46. Wenn Grafton von der »noch ungeschriebenen Geschichte der Annotierung« spricht (ebd., S. 62), so müßte Marie Herzfeld zweifellos darin einen Platz erhalten.

[37] Landucci: Florentinisches Tagebuch. Bd. 2, S. 355.

[38] Natürlich schöpften die Kulturhistoriker des 19. Jahrhunderts ganz allgemein aus ihren Zettelkästen. Jacob Burckhardt beispielsweise schreibt an Paul Heyse, den Herzfeld im übrigen auch für ihr Projekt in den Dienst nahm: »Gestern habe ich zum Beispiel 700 kleine Zeddel nur mit Citaten aus Vasari, die ich in ein Buch zusammengeschrieben hatte, auseinandergeschnitten und sortiert zum neuen Aufkleben nach Sachen. Aus andern Autoren habe ich noch etwa 1000 Quartseiten Excerpte über die Kunst und 2000 über die Cultur.« (an 14.8.1858; zit. nach W. Kaegi: Jacob Burckhardt: Eine Biographie. Bd. 3. Basel 1956, S. 666).

[39] Das freilich aus einer bunten Mischung sowohl weiterer historischer ›Quellen‹ als auch wiederum weiterer literarisch-historischer Texte gewonnen wird.

[40] »Um eine Mittheilung zu verstehen muss man sich in diese Verhältnisse hineinversetzen. Ein Schriftwerk z. B. erhält seine wahre Bedeutung erst im Zusammenhange mit den gangbaren Vorstellungen der Zeit, zu welcher es entstanden ist. Diese Erklärung aus der *realen Umgebung* nennen wir *historische* Interpretation.« August Boeckh: Enzyklopädie und Methodenlehre der philologischen Wissenschaften. Hg. von Ernst Bratuscheck. (Nachdruck der 2. Aufl. Leipzig 1886). Darmstadt 1966, S. 82.

[41] Marie Herzfeld: Die Frau in der italienischen Renaissance. In: Die neue Rundschau 21, 1910, S. 968-981, 968.

[42] Herzfeld stand in direkter Verbindung mit ihm; trotz ihrer kritischen Einwände gegen seine gelegentlich überzogenen Schnellschüsse sind sich beide in ihrer Zeitdiagnostik durchaus verwandt.

[43] Hermann Bahr: Zur Geschichte der modernen Malerei. In: Ders.: Zur Kritik der Moderne. Gesammelte Aufsätze. Erste Reihe. Zürich 1890, S. 18-34, hier S. 18-21 (Herv. U.R.).

[44] Die wiederum sich in der Sacherklärung allein auch nicht genügt. Vgl. Die historische Interpretation. In: Ders.: Enzyklopädie und Methodenlehre, S. 111-124.

[45] In der Ankündigung der *ersten Serie* heißt es in den Verlagsprospekten: »Die erste Serie dieser Sammlung führt die Leser zu einigen Hauptstätten des kulturellen und politischen Lebens der Renaissance, nach Florenz, Rom, Neapel, Mailand, Venedig, Umbrien, sie sehen literarische Typen wie Aretino, Poggio, Petrarca, Enea Silvio Piccolomini; sie machen den Weg von strengen Sitten zu lockerster Ausgelassenheit. So klingen in den ersten zwölf Bänden die Motive an, welche in den folgenden zu reicher und voller Musik verarbeitet werden sollen.« In der *zweiten Serie* sollte exklusiv die Kultur von Florenz behandelt werden. Das Projekt kann als der anspruchsvollste Versuch bezeichnet werden, ältere italienische Literatur im deutschen Sprachraum bekanntzumachen.

[46] Vgl. den Brief von Eugen Diederichs an Marie Herzfeld: »Und die Freude an weitausgreifenden Unternehmungen in Ihrer Brust – Ihre Ahnen waren sicher hanseatische Langfahrer und Entdecker ferner Welten – diese Freude

kam hervor, als ich Ihnen meinen Plan zum ›Zeitalter der Renaissance‹ vorlegte, das wohl an die hundert Bände reichte. Sie sagten nicht, wie die dreimal Klugen: ›Du glaubst wohl noch 100 Jahre zu leben!‹ sondern ›Topp!‹«
Ders.: Selbstzeugnisse und Briefe von Zeitgenossen. Düsseldorf 1967, S. 81f.
[47] Mitarbeiter waren u. a. Hermann Hefele, Paul Heyse, Josef Schnitzer, Paul Schubring und Max Mell.
[48] Vgl. dazu Heidler: Der Verleger Eugen Diederichs, S. 256.
[49] Ebd.
[50] Diederichs rechtfertig das Unternehmen nachträglich damit, daß es ihm darum gegangen sei, etwas dem »Massendenken« der Zeit entgegenzustellen (in einem Brief an M. Kirchstein 1928, zit. nach Heidler: Der Verleger, S. 256).
[51] Oktober 1892; aus der Einleitung zu »Menschen und Bücher«.

Sergej Eisenstein

FOTO: BILDARCHIV, ÖNB WIEN

Das »kugelförmige Buch« von Sergej Eisenstein als ein übersehenes Angebot der universellen Kunsttheorie

OKSANA BULGAKOWA

Vor dem Hintergrund einer vermehrten Vielfalt theoretischer Modelle im 20. Jahrhundert, die in aller Regel immer nur Einzelaspekte künstlerischen Schaffens behandeln, verfolgte der russische Regisseur und Theoretiker Sergej Eisenstein (1898-1948) im Verlauf seines Lebens das Ziel, unterschiedliche theoretische Diskurse aufzunehmen und sie über verschiedene Zwischenstufen letztlich in einer Art Synthese miteinander zu verbinden. Sein Streben nach Universalität schlug sich in dem Versuch nieder, unterschiedlich begründete *Universalmodelle* für die Filmtheorie auszuarbeiten, mit dessen Hilfe heterogene Phänomene aus *allen* Kunstbereichen beschrieben und analysiert werden können.

Die Wahl der Zentren dieser theoretischen Modelle und die Art der entworfenen und jeweils anders aufgefaßten Totalität war in der polemischen Abgrenzung von geistigen Entwicklungen der jeweiligen Periode bestimmt (Konstruktivismus, hegelianische Ästhetik, Ernst Cassirers Ontologie, Psychoanalyse u. a.). Für Eisenstein war dies nur möglich, weil Film (ein grandioses Experiment) von ihm als eine besondere Kunstform angesehen wurde. 1. Nur hier können am perfektesten die Ideen und Versuche der neuesten Kunst- und Theorieentwicklung – von der kubistischen Aufgliederung des Raumes, Joyce' inneren Monolog bis hin zur Bewußtseins- und Verhaltensforschung – verwirklicht werden. »Film«, schrieb er 1931, »ist deshalb so spannend, weil er ein ›kleines experimentelles Universum‹ ist, nach dessen Modell die Gesetze weitaus interessanterer und relevanterer Erscheinungen erforscht werden können als die der springenden Bildchen.«[1]

2. Die Entstehung des Films betrachtete er als Voraussetzung für die Schaffung einer neuartigen Theorie der Kunst, denn der Film hätte die Struktur entblößt, die in anderen Künsten »verdeckt« sei, und deshalb könne die Analyse dort so produktiv ausfallen. Eisenstein weist Segmentierung auf verschiedenen Ebenen des Films auf (Einstellungsrahmen, Photogramme, Bilder in einer Montagesequenz usw.), die eine Voraussetzung für die Strukturanalyse sind. Durch die Entwicklung des Films wurden einige Techniken der bildenden Kunst offensichtlicher (wie die Darstellung der Dynamik in Statik oder die Einführung der polyfokalen Perspektive, die Eisenstein in seinen Analysen von Akropolis, Daumiers, Utamaros oder Serovs Bilder aufdeckt.[2]) Er meint, daß gerade am Film die Methode der Kunst generell untersucht und demonstriert werden könne.

Im Laufe seines Lebens versuchte Eisenstein dreimal theoretische Entwürfe auszuarbeiten, die verschieden aufgefaßt wurde:

a) Zunächst versuchte er ein übergreifendes Kunstverfahren – die Montage – durch verschiedene Diskurse zu analysieren (in einem 1929 geplanten, jedoch nicht zu Ende geschriebenen «kugelförmigen« Buch);

b) Dann begann er an einer neuen Ästhetik zu arbeiten, die anders als Lessing auf die Differenzen zwischen dem Visuellen und Sprachlichen blickte – dank der neuen Situation, die durch Aufkommen des Films geschaffen wurde (ein nicht abgeschlossenes Buch «Montage«, 1937-40);

c) Schließlich suchte er nach einer universellen »Methode« der Kunst, die in der gleichnamigen Abhandlung (1939-1947) an einem breiten Material geprüft wurde – zwischen Zirkus und Höhlenmalerei, Disney und Dostojewski, Film und Ornament.

In allen drei Fällen wendete Eisenstein neue, ja unübliche Analyseverfahren an, die der modernen Film-, Kunst-, Literaturforschung Anregungen vermitteln könnten. Er führte bei der Untersuchung eines Verfahrens – der Montage – ein kombiniertes Modell ein, das zwischen verschiedenen methodologischen Ansätzen (systemologischen, strukturalistischen, psychologischen u. a.) angesiedelt war. Er versuchte im zweiten Buch, »Montage«, die Erforschung relativ unbewußt rezipierter Kompositionsstrukturen zu formalisieren. Schließlich schlug er ein einfaches bipolares Modell zu ihrer Beschreibung vor, wie es in der «Methode« geschah, das jedoch universell für die Analyse fast aller Kunsterscheinungen angewendet werden konnte.

Alle drei Projekte beschäftigten sich sehr konkret mit den Möglichkeiten des Films. Doch gleichzeitig waren sie auf weiter reichende Felder ausgerichtet. Ausgehend von den Materialitäten des Mediums – Bewegungsillusion, Bildbegriff, das Verhältnis des Sichtbaren und Unsichtbaren –, war das erste analytische Filmmodell Eisensteins dazu bestimmt, das Material der geschichtlichen Prozesse zu erfassen. Film wurde als Instrument ihrer Analyse eingesetzt: von *Streik* (1925), *Panzerkreuzer Potemkin* (1925) und *Oktober* (1928) bis zum »Kapital«- Projekt (1927/28). Die Auseinandersetzung mit der metaphysischen Totalität des Bildes in der Kunst, mit den pathetischen, ›organischen‹ Strukturen und dem ekstatischen Zustand des Rezipienten im zweiten Modell wurde als Weg zur Erkenntnis des Universums mittels Kunst begriffen.

Die Methode dieser Kunst, der Gegenstand des dritten Projekts, führte zum Verständnis der Persönlichkeitsdynamik und der Bewußtseinsstrukturen. Ich möchte mich in diesem kurzen Beitrag ausführlicher nur dem ersten, radikalsten Projekt widmen.

Ende der 20er Jahre konzipiert Eisenstein sein erstes Buch. Die innere Notwendigkeit, es zu schreiben, liegt einmal in polemischen Abgrenzungen – gerade haben die russischen Formalisten[3] und die Regisseure Pudowkin, Timoschenko, Kuleschow ihre Bücher zur Filmtheorie veröffentlicht.[4] Doch Eisenstein will viel mehr; er strebt ein umfassendes Konzept an, das versucht, die in den 20er Jahren geläufigen Formen der Fixierung einer Theorie – Manifest, Artikel, Buch – zu sprengen. Es soll keine aktuelle Positionsbestimmung werden, keine technische Klassifikation der Verfahren, wie bei Timoschenko, keine übliche, ja archaische «meine Erfahrung«, wie bei Kuleschow, keine gut überschaubare Anleitung, wie man Drehbücher schreibt und Filme macht, wie bei Pudowkin.

»Es ist sehr schwer, ein Buch zu schreiben. Weil jedes Buch zweidimensional ist. Ich wollte aber, daß sich dieses Buch durch eine Eigenschaft auszeichnet, die keinesfalls in die Zweidimensionalität eines Druckwerkes paßt. Diese Forderung hat zwei Seiten. Die erste besteht darin, daß das Bündel dieser Aufsätze auf gar keinen Fall nacheinander betrachtet und rezipiert werden soll. Ich wünschte, daß man sie alle zugleich wahrnehmen könne, weil sie schließlich eine Reihe von Sektoren darstellen, die, auf verschiedene Gebiete ausgerichtet, um einen allgemeinen, sie bestimmenden Standpunkt – die Methode – angeordnet sind. Andererseits wollte ich rein räumlich die Möglichkeit schaffen, daß jeder Beitrag unmittelbar mit einem anderen in Beziehung tritt [...] Solcher Synchronität und gegenseitigen Durchdringung der Aufsätze könnte ein Buch in Form... einer Kugel Rechnung tragen... Aber leider... werden Bücher nicht als Kugeln geschrieben... Mir bleibt nur die Hoffnung, daß dieses unentwegt die Methode wechselseitiger Umkehrbarkeit erörternde Buch nach eben derselben Methode gelesen werden wird. In der Erwartung, daß wir es lernen werden, Bücher als sich drehende Kugeln zu lesen und zu schreiben. Bücher, die wie Seifenblasen sind, gibt es auch heute nicht wenige. Besonders über Kunst.«[5]

Das schreibt Eisenstein am 5. August 1929 in sein Tagebuch. In der Zeit davor stellte er Pläne für diesen einen möglichen Sammelband zusammen, in den bereits geschrieben Texte (wie »Montage der Attraktionen«, »Perspektiven«, »Dramaturgie der Filmform«, »Die vierte Dimension im Films« u. a.) eingehen sollen, aber auch solche, die erste geschrieben werden müssen (»John und Schopenhauer«, »Le Paire«, »Chlebnikow« u. a.). So wird das Zentrum des Buches bestimmt (Montage) und die Pathos-, Ekstase-Problematik, mit der er sich auch in dieser Zeit im Rahmen des reflexologischen Verständnisses auseinandersetzt, ausgesondert. Die Idee, das Buch zu beenden, gibt Eisenstein wahrscheinlich gegen 1932 auf, denn bis dahin lassen sich noch Spuren des Projekts sichern. Am 23. August 1929, vier Tage nach seiner Ankunft in Berlin, schreibt Eisenstein an Kenneth MacPherson, den Herausgeber der englischen Zeitschrift »Close up«, in der gerade sein Tonmanifest und der Artikel »New Language of Cinematography« erschienen sind,[6] einen Brief, in dem steht: »I have a manuscript of a book written by me about film theory. We could discuss it also ...«[7] Auch aus Mexiko schreibt er an denselben Adressaten, als er ihm die englische Übersetzung seiner »Dramaturgie der Filmform« schickt: »I hope you will like Film-Form – I think it one of the most serious and basic in what I think about cinema – and it might be presented as a page of my still (and I am afraid for ever!) ›forthcoming‹ book!«[8]

Von dem Buch wurden lediglich einzelne Teile niedergeschrieben und vereinzelt publiziert. Was ging dabei verloren? Montage, die noch bezeichnenderweise hier »Methode« genannt ist, wird im Bündel der Aufsätze über verschiedene Systeme – Musik (»Die vierte Dimension im Film«, japanische Theaterkunst

(»Eine unverhoffte Kopplung«) und japanische Schriftzeichen
(»Jenseits der Einstellung«), Sprachwissenschaft (»Perspektiven«), Reflexologie (»Montage der Attraktionen« und »Montage
der Filmattraktionen«), Dialektik (»Dramaturgie der Filmform«)
gesehen, geprüft und begriffen. Dabei wird stets jener Wechsel
der Blickwinkel und Dimensionen erreicht (oder mindestens an-
gestrebt), der Eisenstein am Ausgang der 20er Jahre so wichtig
erscheint. Gerade dieser Ansatz hebt das Projekt von dem Hintergrund der damaligen und der heutigen Theoriebildung stark
ab.

Es ist symptomatisch, daß drei Forscher in den Analysen aus
jüngster Zeit sich je einen Aufsatz vorgenommen und daraus die
Entwicklung Eisensteins dieser Periode abgeleitet haben:
François Albera widmet ein ganzes Buch[9] der »Dramaturgie der
Filmform« und begründet über diesen Text das Porträt Eisensteins als Konstruktivist. Der Text, »Dramaturgie der Filmform«,
bestellt für den Katalog der FiFo-Ausstellung europäischer
Konstruktivisten 1929, beendet den Zyklus (falls man in der linearen Betrachtungsweise bleibt): Eisenstein, der radikale Avant-
gardist, kann, nachdem er das Urphänomen des Mediums (die
Entstehung der Bewegungsillusion) analysiert hat, frei mit der
Bewegungsproduktion umgehen und über mediale Möglichkeiten verfügen, d. h. die Bewegung im Film anders vermitteln,
mit der ›Unbeweglichkeit‹ des Mediums spielen. Alberas Analyse
und Schlußfolgerung stimmen, doch … das Film- und Montage-
verständnis, das Eisenstein hier beschwört, war nicht das einzige. Parallel zu diesem Aufsatz schreibt Eisenstein »Die vierte
Dimension im Film«.

Annette Michelson entwickelt, diesen Text interpretierend, die
Idee von der Transformation des Konstruktivisten Eisenstein.
Sie postuliert seine Annäherung an das Totalitätsdenken, beeinflußt durch die Beschäftigung mit dem Gesamtkunstwerk, so
wie es Skrjabin – und die russischen Symbolisten – konzipiert
haben. Eisenstein liest gerade zu jener Zeit Leonid Sabanjejews
Buch über Skrjabin und Joyce' »Ulysses«. Annette Michelsons
Schlußfolgerung: In Eisensteins Konzept ist eine Belebung von
romantischen und metaphysischen Gedankengängen zu be-
obachten, der Zusammenschluß von Hegel und Madame Bla-
vatsky[10]. David Bordwell deutet dagegen in seinem Aufsatz, der
sich mit dieser Periode und denselben zwei Artikeln beschäftigt,

an, daß Eisenstein nun gerade von der Reflexologie und dem
Materialismus zur Psychologie und Dialektik wechselt.[11]
Eigentlich folgt aus jeder dieser Untersuchungen, daß sie die andere ausschließt. Das Spannende dabei ist, daß der radikale
Konstruktivist neben dem metaphysischen Symbolisten und
dem dialektischen Psychologen steht. Mehr noch – parallel zu
dem Projekt des kugelförmigen Buches entsteht die Idee, ein
psychoanalytisches Buch über sich und seine Kunst zu schreiben: »My Art in Life«.[12]
Diese drei aufschlußreichen Untersuchungen zu Eisensteins
theoretischem Werk müssen ebenfalls als ein kugelförmiges Gebilde gelesen werden, damit die angestrebte und implizierte
Mehrdimensionalität erlangt werden kann. Was ist an der Reihe
dieser Aufsätze so ungewöhnlich. Eisenstein bringt hier Stränge
zusammen, die in der späteren Theorie immer getrennt behandelt werden. Während Eisenstein seinen konstruktivistischen
Aufsatz »Dramaturgie der Filmform« verfaßt, setzt er sich mit
der Bewegungsillusion auseinander und stößt auf zwei überra-
schende Entdeckungen: erstens könne die Bewegung im Film
nicht nur als Täuschung reproduziert, sondern künstlich geschaffen werden. Und zweitens fördere die Bewegungsillusion
die Prozesse der Bedeutungsbildung.
Die russische Filmavantgarde geht mit der filmischen Bewegungsillusion analytisch um: nicht die Bewegungssynthese, sondern die Bewußtwerdung des Intervalls, der Unterbrechung, des
Risses zwischen den stillstehenden Bewegungsphasen wurde
von Wertow und Eisenstein problematisiert. Sie begriffen sich
als Beherrscher des ›Urphänomens‹ (Eisenstein) des Mediums
(der Bewegungsreproduktion), indem sie mit eingefrorenen Bewegungsphasen, Rückwärtslauf des Apparats, Geschwindigkeits-
veränderungen experimentierten oder mit Montageeffekten, die
die unbeweglichen Gegenstände (wie Statuen) zur Bewegung
zwangen. Eisenstein sah in den ›negativen‹ Eigenschaften des
Mediums, die ›natürliche‹ Bewegung eigentlich entstellt darzu-
stellen – von Bergson aufgedeckt und im russischen Kreis durch
Viktor Schklowski übertragen – die befreienden Möglichkeiten
des Mediums. Nicht auf der Abbildebene (der gegenständlichen
Welt), wie es die deutschen Filmavantgardisten wie Viking Egge-
ling oder Hans Richter auffaßten, geschieht die Befreiung vom
Gegenständlichen im Film, sondern auf der Ebene der Bewe-
gungsrepräsentation. Mit diesem Urphänomen des Films waren,

wie Eisenstein es merkte, besondere Prozesse der Bedeutungsbildung verbunden. Eisenstein baut in »Dramaturgie der Filmform« (1929) zwei hierarchische Taxonomien aus: Montage
zweier Photogramme, die

a) für Bewegungsillusion im Film sorgen und so einen Sprung in
die neue (kinetische) Qualität bedeuten (Unbeweglichkeit –
Bewegung);

b) auf eine andere Emotions- bzw. Begriffsebene führen (von der
Abbildung zu Bild (obras)/Begriff).

Warum die Intervalle, die Risse zwischen den Bildern, die Prozesse der Bedeutungsbildung fördern, erklärte Eisenstein aus
der Analogie zum Vers (und hier ließ er sich von Tynjanows Versanalyse inspirieren[13]). Die Betonung des semantischen Mo-
ments im Gedicht erfolgt durch den Rhythmus; im Film gibt es
dafür eine Entsprechung: Rhythmus wird organisiert durch die
Risse im visuellen Kontinuum, die genauso die semantischen
Akzente betonen wie die Risse zwischen den Strophen, im Wechsel der betonten/ unbetonten Silben usw.

Diese analytische Tendenz wurde von den Avantgardekünstlern
der 30er und 60er Jahre – Charles Dekeukeleire, Paul Sharits,
Holis Framton, Werner Nekes – aufgegriffen und fand ihren
theoretischen Höhepunkt in dem bekannten Aufsatz von Roland
Barthes »Le troisième sens« (1970). Barthes analysiert hier
einige Photogramme aus Eisensteins »Iwan der Schreckliche«
und entdeckt darin das eigentlich Filmische. Nur am Photogramm, meint Barthes, kann man ablesen, was die Bewegungsillusion sonst verhüllt: den Sinn, den Bartes ›obtus‹ nennt, der die
beiden Ebenen Denotation-Konnotation (hier umbenannt in in-
formativ und symbolisch) überholt. ›Le sens obtus‹ ist unterbrochen, ahistorisch und dem Sinn, den Barthes ›obvis‹ nennt (symbolische Ebene, Bedeutung der Geschichte), entgegengesetzt.
Deshalb schafft er eine Distanz zum Referenzobjekt (zur »Natur«) und bildet nichts ab. »Le filmique commence seulement là
où cessent le langage et le métalangage articulé. Le troisième
sens [...] apparaît alors comme le *passage* du langage à la signifi-
ance et l'acte fondateur du filmique même.«[14] Hier erfährt die
sonst als Unterbau des Films gesehene Photographie eine unge-
wöhnliche Aufwertung. Die Rückkehr zum bewegungslosen Bild
wurde von Godard in der maoistischen Periode favorisiert – jedoch aus einem anderen Gesichtspunkt, wie ein Erforscher der
Videoarbeiten Godards bemerkte – als die Verlegung der Auf-

merksamkeit von der »image juste« zu »juste une image«, vom
Bezug zum Referenzobjekt auf das Innere des Fragments, das
für die Ideologieanalyse produktiver erschien.

Aber gleichzeitig zu Dramaturgie der Filmform schreibt Eisenstein zwei andere Texte (alle Teile des kugelförmigen Buches), in
dem er das gleiche Problem vom anderen Standpunkt aus betrachtet, nicht wie die Bewegungsillusion unterbrochen wird,
sondern welche Transformationen sich an der Schnittstelle er-
eignen und wie die vorausgesetzte Einheit die Wahrnehmung sichert. Und hier beschäftigt er sich nicht mit der Bewegungsillusion, sondern mit den Qualitäten des Filmbildes. Auf diese Weise
bringt er jene Stränge zusammen, die Theoretiker getrennt zu
behandeln gewöhnt sind: Bild und Bewegung.

Eisenstein erarbeitet die Opposition zwischen ›isobrashenije‹
(Repräsentation, Darstellung, Abbildung) und ›obras‹ (Bild) und
stellt die Frage nach dem »Sichtbaren« und »Unsichtbaren« im
Filmbild. Anders als ein bedeutender Theoretiker der 60er Jahre,
Noël Burch, der das Unsichtbare im Film im »imaginären
Raum« vor und hinter der Bildbegrenzung problematisierte,[15]
siedelte Eisenstein es zwischen den Bildern an. Er griff 1929 auf
die japanische Hieroglyphik (im Text »Jenseits der Einstellung«)
und die Dialektik (im Text »Die vierte Dimension im Film«)
zurück, um die Natur des Filmbildes zu erklären. Einerseits wird
das Bild (obras) im Film (und die Metapher als seine Spezifizie-
rung) als ein sich zusammensetzendes Zeichen (eine Hierogly-
phe) verstanden.[16] Andererseits nahm Eisenstein die Metaphorik
von Engels und Lenin auf: Die Spaltung der Zelle wurde von beiden als Modell für den dialektischen Sprung genommen, als Bild
des Umschlags von Quantitäten in eine neue Qualität. Eisenstein
benutzt diese Metapher zur Illustration des Gesetzes von der
Einheit der Gegensätze in der Filmmontage. Denn die Einstellung (Zelle, auch als Abbildung, Darstellung begriffen) akku-
muliert Konflikte (des Vorder- und Hintergrunds, der Linien,
Konturen, Volumen, Lichtflecke, Massen, Bewegungsrichtun-
gen, Beleuchtung, eines Vorgangs und seiner zeitlichen Darstellung in Zeitlupe oder Zeitraffer usw.), die Konflikte ›zerreißen‹
das Bild und werden durch die nächste Einstellung ab (bzw.
auf)gelöst. Das Nebeneinander der konfliktreichen Einstellungen kann (potentiell) einen Sprung in die neue Qualität bedeuten. Der Umschlag von Quantitäten in eine neue Qualität wird
aber nicht über visuelle, sondern über psychische (Vorstellun-

gen) oder semantische Parameter (Begriff, Bild) bestimmt.[17] Der dialektische Sprung am Schnittpunkt zweier materieller Bilder soll ins Nicht-Materielle erfolgen. Filmische Dynamik wird als Prozeß der ständigen dialektischen Aufhebung (von Photogramm zu Photogramm, von Einstellung zu Einstellung) begriffen. In der ersten Periode (Stummfilm) bildet sich das unsichtbare Bild (obras) an der Grenze des Zusammenpralls zweier Einstellungen, in den 30er Jahren kann dies zwischen der auditiven und visuellen Reihe geschehen.

Diese Vorstellung vom unsichtbaren Filmischen beeindruckte Jean-Luc Godard sehr stark. Ähnlich wie Eisenstein setzt er seine Kritik an dem Medium, die er in mehreren Fernsehdiskussionen entwickelte, an der sklavenartigen Klammerung an das Bild (›representation‹), anstelle sich dem Unsichtbaren (›image‹) zu widmen. Der absolute Traum des Regisseurs ist es, einen wahren, d. h. unsichtbaren Film zu drehen, was Godards alter ego in dem filmischen Selbstporträt »JLG/JLG« (1995) auch durchspielt.

Ich versuchte an einem kleinen Beispiel zu zeigen, wie unterschiedlich Eisenstein ein und das selbe Phänomen analysieren kann. In den Aufsätzen des kugelförmigen Buches, die explosionsartig in den Jahren 1928-29 entstehen, wird die Montage über verschiedene Modelle erklärt: Sie ist begriffen als die Konditionierungsmethode zur Schaffung der Kette bedingter Reflexe (im Rahmen des reflexologischen Verständnisses), als Kombination und Rekombination verschiedener Materialien (im Rahmen des konstruktivistischen Verständnisses), als ein System der Oppositionen, die eine Aussage formulieren (im Rahmen des linguistischen Verständnisses) oder ein hierarchisches System mit wechselnden Dominanten (beeinflußt von der Texttheorie Juri Tynjanows); Montage wird über die Dialektik (innerhalb des Gesetzes von der Einheit der Widersprüche) erklärt oder als ein synästhetisches Verfahren gesehen, das verschiedene Sinne in Kommunikation miteinander zwingt etc. Fast alle Begriffe, die Eisenstein in diesem Buch einführt (Attraktion, Dominante, Oberton) apellieren an diese verschiedenen Systeme, deshalb kann seine Dominante als eine Entlehnung aus Tynjanows Versanalyse, William James Psychologie oder der neuen Musik gesehen werden. Die Polarität der hier angedeuteten Positionen schafft die Spannung zwischen den Sektoren, denn das Prinzip der Gleichzeitigkeit soll nicht aufgegeben werden. Doch ist das auch das einzige Projekt, in dem solche Polarität zugelassen war. Vielleicht konnte es gleichsam deshalb nicht zu Ende geschrieben und gedacht werden.

Das 20. Jahrhundert ist gekennzeichnet durch eine Pluralisierung der Theorien, dabei behandelt jede Theorie einen Aspekt, ohne das Ganze zu decken, ja decken zu wollen. Eisenstein folgte im Verlauf seines Lebens unterschiedlichen theoretischen Diskursen, doch der Hang zum Ganzen blieb, auch wenn er dreimal verschieden gelöst wurde. In diesem Sinne blieb er eine Persönlichkeit zwischen dem 19. und 20. Jahrhundert, er war dem Streben zur Universalität verhaftet. »Das kugelförmige Buch« (1929) demonstriert am plastischsten die neue theoretische Mentalität des 20. Jahrhunderts. Anfang des Jahrhunderts brach die idyllische Welt der abgeschlossenen Systeme zusammen. Grundlegende Wandlungen in den Naturwissenschaften führten zu der Aufspaltung in Einzelwissenschaften; die Gliederung in Naturwissenschaften und Geisteswissenschaften implizierte die Forderung: Wenn letztere als Wissenschaft anerkannt werden soll, muß sie die Exaktheit der ersten annehmen und Methoden etablieren wie auch den Begriff ihrer Wissenschaftlichkeit. Diese Situation kann an Hand der Frage, ob die Ästhetik zur Psychologie oder zur Philosophie gehen soll, ein Streit der auf dem ersten psychologischen Kongreß 1896 in München ausgetragen wurde, am besten erörtert werden. Theodor Lipps meinte damals, daß nur die Psychologie die Logik, Ethik und Ästhetik erforschen kann – mit exakten Methoden, die der Philosophie fehlen, um die allgemeinen Gesetze des Denkens, des Wollens und des Fühlens zu ergründen.[18]

Die Totalität ist als Utopie abgetan, doch man adaptiert die Einzelergebnisse einer Einzelwissenschaft als Weltbild in alter Gewohnheit, und so werden zwei Denkweisen, die alte und die neue, miteinander vermischt. Die Theorien der 20er Jahre haben funktionale oder operative Bedeutung; Ontologie wird verbannt, eine bescheidene professionelle Analytik setzt sich durch, wie die methodische Restriktion. Es gibt eine Vielfalt verschiedener Diskurstypen, die das Kunstwerk in seiner Aspekthaftigkeit entfalten. Das kugelförmige Buch ist ein Produkt dieses Ansatzes. Eisenstein tritt ein in den Kreis der Fachleute (die wie die Formalisten bestimmen können, was das Literarische ist und was das Filmische ausmacht), er gehört dazu, doch verhält er sich

wie ein Mensch des anderen Jahrhunderts, er will die Totalität –
bei allem fachmännischen Können. Das erste Modell ist das ra-
dikalste Angebot eine Einheit zu finden, die gar keine ist und
nur im Wechsel von Ebene zu Ebene bestehen kann, die eine
Uminterpretation und eine variable Nutzung der nicht kom-
patiblen Sektoren voraussetzt. Doch das Modell Eisensteins ist
nicht nur retrospektivisch relevant, als ein sich von der Theoriebildung der 20er Jahre abhebender Versuch zur Überwindung
der Diskursivität, der Aufspaltung bei beibehaltener Facettie-
rung. Was Eisenstein hier anstrebt, ist die interdisziplinäre
Sicht, die der Gegenstand Film eigentlich verlangt und die von
der Filmtheorie bis heute nicht erreicht werden konnte. Die Ansätze der Soziologie, Semiologie, Psychologie, Kommunika-
tionsforschung konnten nicht zusammengeführt werden; die
Forscher kapitulieren vor dem Methodenpluralismus und dem
nicht herstellbaren Zusammenhang zwischen den Einzelergeb-
nissen. Das Modell, das Eisenstein im kugelförmigen Buch entworfen hatte, gibt eine Vorahnung von den möglichen Beschäfti-
gungen der Filmwissenschaft mit dem Objekt. Sie ist als Auffor-
derung zu verstehen, die abgeschlossenen und aufgespaltenen
Teildisziplinen in einen dynamischen Austausch miteinander zu
bringen.

ANMERKUNGEN

[1] In Schub, Esfir. *Shisn moja – kinematograf* (Mein Leben – die Kinema-
tographie), Moskwa: Iskusstwo 1972, S. 381.

[2] Eisenstein, Sergej. *Selected Works. Volume 2. Towards the Theory of Montage*, edited by Richard Taylor, London, Bloomington: BFI, Indiana University Press 1992.

[3] *Poetika kino*, herausgegeben von Boris Eichenbaum, Moskwa – Leningrad:
Academia 1927, dt. *Poetik des Films*, hrsg. von Wolfgang Beilenhoff, München: Hanser 1975.

[4] Pudowkin, Wsewolod. *Kinoreshisseur i kinomaterial* (Filmregisseur und
Filmmaterial), Moskwa: Kinopetschat 1926; Timoschenko, Semjon. *Iskusstwo kino: Montash filma* (Die Filmkunst – Filmmontage), Leningrad: Academia 1926; Kuleschow, Lew. *Iskusstwo kino – moj opyt*, Moskau – Leningrad:
Teakinopetschat 1929, engl. *Kuleshov on Film: Writing of Lev Kuleshov*,
trans. and ed. Ronald Levaco, Berkeley: University of California Press 1973).

[5] RGALI f. 1923, op.1, jed. chr.1030, teilweise in: Eisenstein, S. *Das dynamische Quadrat. Schriften zum Film* (DQ), herausgegeben und übersetzt
von Oksana Bulgakova und Dietmar Hochmuth, Leipzig: Reclam jr. 1988, S.
344

[6] «A Statement«, in: *Close up*, London-Territet, vol. III, Nr. 4, October 1928, S.10-13;
«The New Language of Cinematography«, in: *Close up*, vol. IV, Nr. 5, May 1929 p.10-13.

[7] Zit. nach Seton, M. *Sergej M. Eisenstein. A Biography*, London: the Bodley Head 1952; S.127.

[8] Undatiert, höchstwahrscheinlich 1931. Zitiert nach Seton, a.a.O., S.218.

[9] Albera, F. *Eisenstein et le contructivisme russe*, Lausanne: L'Age d'Homme 1990.

[10] Michelson, A. »Reading Eisenstein Reading *Ulysses*. Montage and the claims of subjectivity«, in: *Art & Text* Nr. 34 (Spring 1989), S. 64-78.

[11] Bordwell, D. «Eisenstein's epistemological Shift«, in: *Screen* (Winter 1974/75), Vol. 15, Nr. 4, S. 32-46.

[12] In: *Kinowedtscheskie sapiski*, Moskwa, 1998, Nr. 36/36, S. 13-23.

[13] Tynjanow, J. *Problemy stichotrownogo jasyka*, Leningrad: Academia 1924.

[14] Barthes, R..«Le troisième sens«, in: *Cahiers du cinéma* 222 (juin 1970), S. 19, dt.in: *Filmkritik II* (1974), S. 514-527.

[15] Burch, N. *Praxis du cinéma*, Paris: Gallimard 1968.

[16] Eisenstein, S. »Sa kadrom« (1929), in: *Isbrannye proiswedenija*, tom 2, Moskwa: Iskusstwo, S. 185; dt.: »Jenseits der Einstellung«, in: *Das dynamische Quadrat*, S. 73ff.

[17] Ebd., S. 291 ff, dt. S. 81ff.

[18] Vgl. darüber Cassirer, E. »Psychologie und Philosophie«, in: Cassirer, E. *System. Technik. Sprache. Aufsätze aus den Jahren 1927-1933*, hrsg. von W. Orth und J. M. Krois, Hamburg: Meiner 1985, S. 161.

Max Adler

FOTO: BILDARCHIV, ÖNB WIEN

Kultur als Gegennatur – Natur als Gegenkultur:

Austromarxismus und *cultural studies*

GÜNTHER SANDNER

>»Jede Kulturtheorie muß die dialekti-
sche Wechselwirkung zwischen Kultur
und dem, was nicht Kultur ist, berücksichtigen.«
>
> E.P. Thompson

VERDECKTE GESCHICHTEN: KULTURWISSENSCHAFTEN UND CULTURAL STUDIES

Die Geschichte der Kulturwissenschaften und der *cultural studies* kann als verdeckte Wissenschaftsgeschichte gelesen werden. Wissenschaftler, die sich selbst nicht als Bestandteil dieser Disziplin interpretiert hätten, theoretische Ansätze, die nicht unter diesem Topos subsumiert wurden, politische und kulturelle Praktiken der Wissensvermittlung: sie verdichten sich in der Retrospektive zu einer diskursiven Formation der Kulturwissenschaften oder *cultural studies*. Die Konzentration einer Geschichte der *cultural studies* auf Großbritannien ist kritisiert worden (z. B. Wright 1998), weil dabei eine plurale, heterogene kulturwissenschaftliche Theorietradition einem hegemonialen historischen Deutungsmuster untergeordnet wird, während wissenschaftliche Entwicklungen und Traditionen anderer Regionen verdeckt werden. Für unsere Zwecke sollen aber dennoch die entscheidenden Charakteristika jener britischen Tradition kurz resümiert werden, um den Blick auf eine österreichische kulturwissenschaftliche Geschichte zu lenken, die in dieser Hinsicht noch vergleichsweise wenig Beachtung gefunden hat. *Cul-*

tural studies sind nicht (nur) akademische Disziplin, sondern die Analyse von Machtstrukturen im kulturellen Feld – nicht zuletzt um deren Veränderbarkeit deutlich zu machen. So betrachtet, lässt sich eine politiktheoretische Formation neu kontextualisieren: Der folgende Beitrag soll zeigen, wie der Austromarxismus eine spezifische Tradition von Kulturstudien ausbildete, indem er die Produktion wissenschaftlicher und kulturpolitischer Texte mit Wissenschaftsvermittlung und -popularisierung zusammenführte. Intellektuelle Arbeit und Theorieproduktion werden nicht in ein lineares Sender-Empfänger-Modell von Wissensproduzenten und Wissenskonsumenten gestellt, sondern vor ihrem gesellschaftspolitischen Hintergrund interpretiert. Wissenschaft und theoretische Arbeit können komplementär zu politischen und kulturellen Praktiken gelesen werden. Daran anschließend wird exemplarisch aufgezeigt, wie die austromarxistische Theorie zwei kulturtheoretische Schlüsselprobleme, die Natur-Kultur-Dichotomie und die theoretische wie praktische Verbindung von Kultur und Macht, behandelte. Der vorliegende Beitrag steckt das Feld für eine Rekonstruktion der austromarxistischen Kulturtheorie ab – er formuliert daher keine hermetischen Begrenzungen, sondern definiert die Ausgangsbasis eines beginnenden Forschungsprozesses.

DIE BIRMINGHAM SCHOOL UND DIE CULTURAL STUDIES

Zur Geschichte der britischen *cultural studies* existieren eine Reihe instruktiver Darstellungen, in denen deren (frühe) Charakteristika – zumeist am Beispiel der Arbeiten und Schlüsseltexte von Richard Hoggart *The Uses of Literacy (1957)*, Raymond Williams *Culture and Society (1958)* und *The Long Revolution (1961)* sowie Edward P. Thompsons *The Making of the English Working Class (1963)* – herausgearbeitet werden (etwa: Turner 1996; Lutter/Reisenleitner 1999, 22-38; Bromley 1999 Böhme/Matussek/Müller 2000, 11-13). Das folgende Kompendium bezieht sich daher auf die wissenschaftsgeschichtlich aufgearbeitete Tradition der *Birmingham School*. Die Vertreter der *Birmingham School* – dieser Begriff ist mit der Institutionalisierung der *cultural studies* im Rahmen des *Center for Contemporary Cultural Studies* an der Universität in Birmingham im Jahr 1964 verbunden – sind Bestandteil der Nachkriegsgeschichte des britischen Marxismus. Sie setzten mit der Abwendung von einem doktrinären »Ableitungsmarxismus« und der Zuwendung zu einem konfliktzentrierten Kulturbegriff theoretisch entscheidende Impulse. Die frühen *cultural studies* waren an einem demokratischen, emanzipatorischen Bildungsideal orientiert. Bildung sollte nicht der Formierung gesellschaftlicher Geisteseliten dienen, sondern ein Instrument demokratischer Aufklärung und selbstbestimmten Lebens sein. Der dominante bürgerlich-elitäre Kulturbegriff führte die *cultural studies* zur Suche nach eigenständigen, klassenspezifischen Formen der Kulturaneignung. Entgegen elitären Kulturbestrebungen sollte Kultur demokratisiert werden. Der Kulturbegriff, der »*culture*« als »*a whole way of life*« oder – bei Thompson – als »*a whole way of struggle*« charakterisierte, umfasste nicht nur Ästhetik und klassische Literatur und Bildung, sondern Themen wie Alltag, Arbeitswelt, Freizeit und Popularkultur, die bislang nicht oder kaum unter dem Gesichtspunkt der Kulturproduktion analysiert worden waren. »*Popular culture*« wurde als Forschungsgegenstand konstituiert. Im Rahmen der frühen *cultural studies* entwickelte sich ein spezifisches, klassenbezogenes Ethos, das auf Gemeinschaftlichkeit basierte und mit der bildungsbürgerlichen Elitenkultur kontrastierte. Während der Popularkultur anti-hegemoniales Potenzial zugeschrieben wurde, erschien die (amerikanische) Massenkultur als Gegenbewegung zu popularen Traditionen des Widerstandes. *Cultural studies* waren nicht nur akademische Disziplin, sondern genauso ein politisches und pädagogisches Programm. Wissensvermittlung und Wissenschaftspopularisierung waren Bestandteil der Theorieproduktion – Kulturwissenschaft entstand in Auseinandersetzung mit gesellschaftlichen und politischen Fragestellungen. Aus unterschiedlichen Gründen engagierten sich Richard Hoggart, Raymond Williams oder Edward P. Thompson nicht nur oder nicht vorrangig im universitär-akademischen Feld, sondern im Bereich der Erwachsenenbildung und des Volkshochschulwesens. Besonders Raymond Williams hat die Bedeutung der Arbeit in der Erwachsenenbildung als entscheidend für die Entstehung der britischen *cultural studies* hervorgehoben und sich explizit gegen eine Wissenschaftsgeschichtsschreibung ausgesprochen, die »grundlegende Texte« an ihren Beginn stellt (Williams 1989). Erst die Erfahrungen der Wissensvermittlung im nicht-universitären Milieu ermöglichten es, kulturelle Formen und Praktiken zu berücksichtigen, die das herrschende Wissenschaftsverständnis weitgehend ausblendete.

AUSTROMARXISMUS – ZUR KLÄRUNG
EINES BEGRIFFES

Mit einem mittlerweile sehr zeitgeistigen Begriff kann der Austromarxismus politisch charakterisiert werden, nämlich mit dem Begriff des »dritten Weges«; es war ein dritter Weg zwischen Zweiter und Dritter Internationaler, also zwischen Bolschewismus und sozialdemokratischem Revisionismus, den der Austromarxismus in der politischen Theorie und Praxis beschritt. Der Begriff Austromarxismus tauchte um die Jahrhundertwende, zwischen 1900 und 1905, auf und wurde von seinen Exponenten selbst verwendet. Die wichtigsten politischen Vertreter waren – ohne Anspruch auf Vollständigkeit – Victor Adler, Karl Renner, Friedrich Adler, Otto Bauer und Max Adler. Eine Ausformulierung der austromarxistischen Theorie findet sich in den Publikationen der genannten Theoretiker sowie in den von ihnen herausgegebenen periodischen Schriften und Schriftreihen. Insbesondere zu erwähnen sind dabei die zwischen 1904 und 1922 von Max Adler herausgegebenen *Marxstudien* und die von Otto Bauer herausgegebene Zeitschrift *Der Kampf* (1907-1934). Das Jahr 1934 begrenzt das Phänomen chronologisch, denn mit dem Ende der Arbeiterkulturbewegung verlor die austromarxistische Theorie ihre soziale Basis in Gestalt einer mächtigen Arbeiterkulturbewegung. Viele Exponenten der austromarxistischen Theorie kehrten aus dem Exil, zu dem sie Austrofaschismus oder Nationalsozialismus gezwungen hatten, nicht mehr zurück. Ein zentrales ideologisches und theoretisches Moment dieser politischen Formation waren Bildung und Kultur sowie die Betonung des »subjektiven Faktors«. Mit diesem Ansatz trat insbesondere Max Adler dem ökonomischen Determinismus innerhalb der sozialistischen Theorie entgegen. Im Adlerschen Konzept des »neuen Menschen« waren Bildung, Erziehung und Kultur Angelpunkte gesellschaftlicher Veränderung; sie fungierten als Voraussetzung und partielle Vorwegnahme sozialistischer Zukunft gleichermaßen. Im Gegensatz zu Kulemann (1979, 14) beschränkt sich die vorläufige Analyse austromarxistischer (Kultur-) Theorie nicht auf das politische Agieren und die Schriften der genannten Protagonisten. Gerade der

Versuch, austromarxistische Kulturtheorie zu rekonstruieren, muss darüber hinaus das Wirken politisch engagierter Wissenschafter, die in der Arbeiterbildung wirkten, in den zitierten Schriftenreihen publizierten, die die kulturellen und politischen Positionen des Austromarxismus mitformulierten, einbeziehen. Der Wissenschaftshistoriker Edgar Zilsel und der disziplinär kaum festlegbare Wissenschafter und Volksbildner Otto Neurath können aus diesem Kreis exemplarisch herausgegriffen werden.

DER KULTURBEGRIFF IM AUSTROMARXISMUS

> »Auch sind wir bereit, den Lesern des »Kampfes« auch einzeln in ihren ästhetischen Nöten und Wünschen beizustehen.«
> (Pernerstorfer 1907, 41).

Der Kulturbegriff markierte in den politischen Diskursen des Austromarxismus einen normativen Orientierungspunkt und bezeichnete ein politisches Instrument, ein Partizipationsideal. Kultur war umkämpfter Ort des Aufeinandertreffens der antagonistischen Klassenkräfte. Kultur galt es anzueignen und weiterzuentwickeln, sie signalisierte Fortschritt und Modernisierung, ihr Besitz verwies – wie nicht zuletzt Otto Bauer betonte – auf die geistig-moralische Überlegenheit des Proletariats (Butterwegge 1991, 298). Diese Funktionalisierung von Kultur, welche die massenhafte Aneignung von Kultur und die Brechung von bürgerlichen Kulturprivilegien vorsah, stand in einer gewissen Spannung zum verwendeten Kulturbegriff selbst. Denn der Austromarxismus harmonierte zumindest partiell mit einem hierarchischen Kulturverständnis, mit einem Bildungs- und Kulturbegriff, der den Einfluss jenes »semantischen Sonderweges« (Georg Bollenbeck) des deutschen Nachbarn nicht zu verschleiern vermochte. Die Auffassung »von der tendenziellen Überlegenheit der klassischen deutschen Kultur über die Kulturen anderer Völker und Nationen« (Pfabigan 1986, 109) reflektierten viele seiner Exponenten. Otto Bauer hatte diese Ansicht in seiner 1907 erschienenen Studie *Deutschtum und Sozialdemokratie* hervorgehoben. Weil »deutsche Wissenschaft und deutsche Philosophie, deutsche Dichtung und deutsche Kunst« sich mit dem Besten messen könnten, das andere Nationen geschaffen hätten, argumentierte er, müssten den Arbeiterinnen die Schätze dieser Kultur erschlossen werden – auch Arbeiter sollten schließlich »gute Deutsche« werden (Bauer 1975, 32-34). Gleichzeitig gab es Bestrebungen, in bewusster Abkehr oder zumindest in produktiver Fortentwicklung bürgerlicher Kulturformen eine eigene proletarische Kultur zu entwickeln, in der selbst alltagskulturelle Ausdrucksformen mit politischen Machtfragen verzahnt schienen, wie dies Otto Neurath (1928) immer wieder artikulierte. Als Exponent einer volksbildnerischen, wissenschaftspopularisierenden Tradition lässt dieser sich besonders gut in den zuvor skizzierten Kontext einordnen. Schon wenige Streiflichter zeigen, dass im austromarxistischen Milieu die Existenz eines konsistenten Kulturbegriffes, der verschiedene Diskursstränge bruchlos miteinander verbindet, nicht vorausgesetzt werden kann. Dies zeigen nicht nur die Auseinandersetzungen um die Möglichkeiten und Perspektiven einer eigenen, proletarischen Kultur. Eine Spannung bestand auch zwischen einem mehr oder minder verdeckten Elitismus, der Kultur als das Produkt großer Dichter und Denker interpretierte, und theoretischen Versuchen, genau jene Auffassung zu dekonstruieren. Exemplarisch kann hier auf Edgar Zilsel verwiesen werden, der in seinem während des Ersten Weltkrieges verfassten Werk »Die Geniereligion« demonstrierte, wie eine Kultur der Genieverehrung ein komplementäres Denkmodell aus Persönlichkeitskult und Massenverachtung produziert. Zilsel rekonstruierte die Geniereligion in ihrer geistesgeschichtlichen Entstehung und entlarvte sie als Metaphysik. Schließlich trat er der ihr zugrundeliegenden Auffassung entgegen, »daß sich die Menschheit so bequem in die zwei Klassen der Genies und der Menge einteilen läßt« (Zilsel 1990, 100). Der Kulturbegriff des Austromarxismus und sein Beitrag zu den Kulturwissenschaften muss in jenem Spannungsfeld verortet werden, das aus dem dialektischen Zusammenwirken von Wissenschaftsproduktion, Wissenschaftsrezeption und Wissenschaftspopularisierung entstand. In ihrem Selbstverständnis war die Sozialdemokratie eine große Kulturbewegung. Ein breites organisatorisches Spektrum reflektierte einen Kulturbegriff, der ästhetische Produktionen genauso umfasste wie alltagskulturelle Manifestationen. Freizeit und Alltag, Reproduktion und Konsumption waren politisch relevante Felder. Deshalb wurde Kultur als politisches Phänomen, als konfliktives Moment gesellschaftlicher Entwicklung, gedeutet. Dieser umfassende Kulturbegriff korrespondierte mit weitreichenden Ambitionen politischer Steuerung innerhalb des sozialdemokratischen Lagers bzw. politisch-kulturellen Integrationsmilieus. Die damit verbundenen Normierungs- und Paternalisierungstendenzen in der kulturellen Praxis der Sozialdemokratie gerieten in Widerspruch zu den sozialdemokratischen Postulaten von Aufklärung, Selbstbestimmung und Mündigkeit (Gruber 1991, 35).

DEMOKRATISIERUNG DER BILDUNGSKULTUR –
POPULARISIERUNG VON WISSENSCHAFT

Ein wesentliches Moment und Instrument zur Durchsetzung kultureller Macht für den Austromarxismus war die Wissenschaft. Der Begriff der »wissenschaftlichen Weltauffassung« entstammt nicht nur dem 1929 veröffentlichten berühmten Manifest des partiell mit dem Austromarxismus und der Sozialdemokratie verbundenen Wiener Kreises (Nemeth 1981, 55-60); er reflektiert auch jenes Selbstverständnis führender Repräsentanten der österreichischen Sozialdemokratie, wonach wissenschaftliche Erkenntnis und wissenschaftlicher Fortschritt bruchlos in sozialen und gesellschaftlichen Fortschritt übergeführt werden konnten, sofern systembedingte Entwicklungshemmnisse überwunden würden. Dabei wurde – entgegen der Auffassung von Karl Marx – der Wissenschaftsbegriff der Parteilichkeit entrückt und wissenschaftliche Erkenntnis als quasi objektives Zeugnis im Sinne der sozialdemokratischen Theorie und Praxis instrumentalisiert. Diese Trennung von Wissenschaft und (Partei-) Politik, von philosophischen und (zum Teil auch) gesellschaftswissenschaftlichen Positionen einerseits und Fragen der politischen Strategie und Praxis andererseits ermöglichte auch die relativ friktionslose Koexistenz divergierender wissenschaftstheoretischer Positionen innerhalb der Führungspersönlichkeiten der österreichischen Sozialdemokratie (Kulemann 1979, 31-38). Deutlichen Ausdruck fand dieses ambivalente Verständnis etwa bei Karl Renner (1928), der zwischen einem ideologischen und einem wissenschaftlichen Marxismus unterschied. Der Austromarxismus als politische Ideologie griff ausgesprochen pluralistisch auf die Sozial- und Kulturwissenschaften zu und förderte die Entstehung eines produktiven Wissenschaftsmilieus, das Exponenten der politischen Ideologie des Austromarxismus genauso umfasste wie politisch engagierte Wissenschaftler (neben

den bereits erwähnten Edgar Zilsel und Otto Neurath kann etwa
auf den Ökonomen Karl Polany verwiesen werden). Wissenschaftsproduktion und kulturpolitisches Engagement waren unmittelbar aufeinander bezogen. Wissenschaftspopularisierung
und kulturelle Aufklärung fanden im Austromarxismus zu einer
Symbiose (vgl. Gruber 1991, 92ff), die insbesondere im Roten
Wien der Zwischenkriegszeit auch politisch gefördert wurde
(Rabinbach 1989). Die Grenzen zwischen akademischer Wissenschaft und Volks- bzw. Arbeiterbildung sollten überwunden werden. In Volksheimen, Volkshochschulen und Arbeiterbibliotheken, in Vorfeldorganisationen und Gewerkschaften, konnten
diese Bereiche zusammengeführt und Wissenschaft politisch instrumentalisiert, als Beitrag zur »Massenbildung« eingesetzt
werden.

Kultur und Klasse

In der Arbeiterkulturdebatte ist immer wieder auf die Spannung
verwiesen worden, die aus der notwendigen Aneignung (und allenfalls produktiven Weiterentwicklung) bürgerlich-hegemonia-
ler Kultur und der Entwicklung eigener, sozialistisch-proletari-
scher Kulturformen resultiert. In der Formulierung Dieter Lan-
gewiesches, wonach die Arbeiterschaft »Erbe, Vollender und
Neuschöpfer« von Kultur sein wollte (1979, 42), kommt dies
zum Ausdruck. In den theoretischen Beiträgen der sozialdemokratischen Theorieorgane lässt sich jenes Bemühen, die bürgerliche Klassik anzueignen, in ihrem revolutionären Gehalt zu erfassen und gegen die herrschende Ordnung zu instrumentalisie-
ren, feststellen. Gleichzeitig sollten jedoch auf der Ebene der
kulturellen Werte wie der kulturellen Praktiken gegenkulturelle
Ansprüche artikuliert und umgesetzt werden. Ein Schlüsselbegriff dabei war die Solidarität und der gemeinschaftliche Charakter von Kultur, die einem vermeintlichen bürgerlichen Individualismus, der als von materiellem Besitzstreben und sinnent-
leerter Vergnügungssucht geprägt porträtiert wurde, entgegengestellt wurden. Aber auch im täglichen Verhalten, in der Kul-
turrezeption, sollte ein sozialistisches Ethos gelebt werden, das
klar von der Bourgeoiskultur unterschieden werden konnte. Ein
Beispiel dafür war die Fest- und Feierkultur der organisierten
Arbeiterschaft. Die Arbeiterfeste stellten nicht nur symbolische
Inszenierungen politischer Macht dar und vermittelten poli-

tisch-kulturelle Identität und Zugehörigkeit. Sie dienten vor allem auch der Repräsentation einer eigenständigen – und als historisch überlegen gedeuteten – Kultur. Die Gestaltung der Feste und Feiern (insbesondere 1. Mai, 12. November und Märzfeiern) war daher immer wieder Gegenstand von Debatten und Kontroversen (Weidenholzer 1981, 180-206). Wie ein Autor in *Der Kampf* ausführte, dürften proletarische Feste keineswegs bloß unterhaltend sein, sie müssten vielmehr die »Bazillen der Spiessbürgerei«, also das Oberflächliche und auf Vergnügen Gerichtete, vermeiden. Proletarische Feste zeichneten sich durch ihren tiefen Sinn und ihre politische Symbolik aus, sie müssten also im weitesten Sinne feierlich und erhaben sein, bis hin zur Ausgestaltung der Räumlichkeiten, in denen auf kleinbürgerlichen »Schundschmuck« verzichtet werden sollte (Grossmann 1908, 182).

KULTURPHÄNOMENE: ALLTAG UND FREIZEIT

Die Entwicklung einer Arbeiterkultur und somit der theoretischen Diskurse darüber sind mit der für das Industriezeitalter charakteristischen Trennung von Arbeit und Freizeit und der Säkularisierung von Freizeit verbunden. Auf der politisch-gewerkschaftlichen Ebene korrespondierte also der Kampf um die Verkürzung der Arbeitszeit mit der Frage über sozialistische Freizeitgestaltung. Freizeit wurde als Teil des gesellschaftlichen Lebens und somit als Kulturphänomen betrachtet, das nach den Kriterien einer sozialistischen Ethik auszugestalten war. Auf der deskriptiven und analytischen Ebene wurden im Austromarxismus Studien erstellt oder zumindest rezipiert (vgl. Deutsch 1917), die das Freizeit- und Konsumverhalten von Arbeiterfamilien untersuchten und in Relation zu deren sozialer Lage setzten. Erwähnenswert in diesem Zusammenhang ist etwa die 1933 erstveröffentlichte legendäre Studie über die »Arbeitslosen von Marienthal«. In ihr beschrieben die Autoren den Zusammenhang zwischen Arbeitslosigkeit und kulturellen und politischen Aktivitäten. Dabei kommen sie zur Diagnose einer »müden Gesellschaft«, in der der Verlust der Lohnarbeit zur Apathie der Betroffenen führt; in der die soziale Situation der Arbeitslosigkeit also unmittelbar das Freizeit- und Kulturverhalten beeinflusst (Jahoda et al 1975, 55-63). Auf der normativen Ebene wurden Vorgaben hinsichtlich »sinnvoller« Freizeitgestaltung entwickelt,

die insbesondere ein gewisses Kulturverhalten vorschrieben
oder zumindest nahelegten. Dazu zählten etwa die Aneignung
von Bildungskultur und sozialistischer Literatur, die Nutzung
von freier Zeit für politische Aktivitäten, aber auch das Naturer-
lebnis – etwa im Verband der Naturfreunde – und eine lebensre-
formerische, möglichst alkoholfreie Existenzweise. Die Argu-
mentationsstrategien austromarxistischer Kulturtheoretiker ver-
liefen häufig reaktiv oder präventiv, das Argument des bürgerlichen Gegners, Arbeiter könnten mit ihrer gewonnenen Freizeit
nichts »Sinnvolles« anfangen, vorwegnehmend. Über diese legi-
timatorische Tendenz hinaus sollte in Alltag und Freizeit den
kulturellen Werten der Solidarität und der Emanzipation zum
Durchbruch verholfen werden. Tradierte und durch die soziale
Lage der Arbeitenden bestimmte Verhaltensmuster wie etwa Au-
toritätsgläubigkeit oder das Festhalten an überlieferten Rollen-
bildern von Mann und Frau waren gemäß der austromarxistischen Konzeptionen sichtbar zu machen, zu hinterfragen und in
einer gelebten Gemeinschaftskultur aufzulösen. Es war insbesondere die Parteijugend, der die Aufgabe zukam, als kulturso-
zialistisches Projekt Zukunft zu antizipieren, Werte zu aktivieren
und vorzuleben, der bourgeoisen Kultur ihr Zerrbild vorzuhal-
ten und ein sozialistisches Gegenprojekt zu präsentieren. Die in
der Partei und Bewegung vorhandenen autoritären und patri-
achalen Muster und Strukturen wurden als Generationenkon-
flikt gedeutet – die »Alten« lebten noch in einer Spannung aus
persönlicher (traditioneller) und gesellschaftlicher (progressi-
ver) Kultur, während die Parteijugend den Werten der Gleichbe-
rechtigung und der Gemeinschaftskultur bereits in ihrem Organisationsalltag Ausdruck verleihe und somit Theorie und Praxis
zusammenführe (Fischer 1930, 430-437).

POPULARKULTUR – MASSENKULTUR

Die theoretische Beschäftigung mit Alltag und Freizeit erfor-
derte es, sich auch mit jenen Kulturformen und ästhetischen
Produktionen auseinanderzusetzen, denen sich Arbeiterinnen
und Arbeiter in ihrer freien Zeit widmeten, die sie also in ihrem
Alltag umgaben. In der austromarxistischen Kulturtheorie war
eine gewisse Romantisierung von Arbeiterkultur und Volkskultur festzustellen, die mit einer weitgehenden Dämonisierung der
kommerziellen Massenkultur im Einklang stand. Dass »Kon-

sumware – schlechte Ware« sei, stand etwa für David Josef Bach
genauso fest wie die Existenz einer wertvollen und authentischen Volkskultur, schließlich dürfe, »(d)as rechte Volkslied (...)
mit dem Gassenhauer nicht verwechselt werden«. Denn sei dieser »von aussen in die Masse geworfen worden«, wäre jenes »aus
der Tiefe des Volkes hervorgestiegen« (1913, 45). Dem Proletariat, beklagte Bach weiter, würden Kunstsurregate gegeben,
während es doch einer authentischen Kunst bedürfe, die aufgrund der klassengesellschaftlichen Verhältnisse vorenthalten
werde: »Das Proletariat verschmäht auch mit nichten die ver-
stossene Kunst, die eine feig und alt gewordene Klasse mit samt
ihren Ueberlieferungen preisgegeben hat. Wir sind die Erben der
deutschen Kunst, wie wir die Erben der deutschen Philosophie,
der deutschen Wissenschaft sind« (Bach 1913, 46). Hinter derar-
tigen Artikulationen, die hier stellvertretend für viele stehen können, verbarg sich die Überzeugung, dass die Aneignung von
Kunst und Kultur in erster Linie ein Prozess ernsthafter, geistiger Arbeit ist, in die Aura der Erhabenheit des Ästhetischen sei
behutsam vorzudringen. Keinesfalls dürften Kunst und Kultur
unterhaltend sein und Vergnügen bereiten. Dies zeigte sich auch
am Beispiel der literarischen Präferenzen austromarxistischer
Theoretiker. Robert Danneberg beklagte den geringen Anteil sozialistischer Literatur speziell auch bei Arbeiterbibliotheken und
kritisierte den hohen Anteil an Werken der Unterhaltungslite-
ratur, die ausgeliehen respektive gelesen wurden. Darüber hinaus nahm Danneberg – unbewiesen – geschlechterspezifisches
Rezeptionsverhalten an: »Die hohen Entlehnungsziffern der
Dichtungen beweisen durchaus nicht, dass die Arbeiter besonders gern Romane lesen, sondern dass die meisten die Biblio-
theksbücher nicht für sich, sondern für ihre Frauen und heran-
wachsenden Töchter nach Hause nehmen« (Danneberg 1915,
276). Ein paternalistischer Kulturbegriff verdammte »Schmutz-
und-Schund«-Erzeugnisse und stellte sie unter Ideologiever-
dacht. Die Aussicht, dass der »Schauerroman« »ein heimlicher
Freund des Kapitalismus« sei und die »Revolutionierung des Be-
wusstseins« verhindere (Stern 1910, 472), zählte genauso zu den
Fundamenten sozialistischer Kulturpolitik wie die erzieherische
Aufgabe, die »Lust am guten Buche« zu steigern (1910, 473). Edgar Zilsels Hoffnung, dass »wir Menschen wieder unsere harm-
losen und heiteren Vergnügungen leben können – und wären sie
auch spießbürgerlich« (1990, 190) kontrastierte auffallend mit

den Kulturauffassungen der meisten austromarxistischen Theoretiker und ihren Sorgen vor einer »Verspießerung« (Otto Bauer)
des Proletariats.

KULTUR UND MACHT/HEGEMONIE

> »Sie (die Transdisziplin »cultural
> studies«, Anm. G. S.) versucht Kul-
> tur selbst als ein Feld zu betrachten,
> in dem Macht produziert und um
> sie gerungen wird.«
>
> (Grossberg 1994, 14)

Das kulturelle Feld erschien in den politischen Diskursen des
Austromarxismus von zentraler Bedeutung. Von pompösen Manifestationen symbolischer Politikformen in einer proletarischen Festkultur bis zur Emphase von Bildung und Kultur als
Motor gesellschaftlicher Veränderung war ein weit gefasster und
über weite Strecken normativ besetzter Kulturbegriff fixer Bestandteil austromarxistischer Theorie und Praxis. Das Problem,
dass »das Interesse des Staates und das der herrschenden
Klasse« zusammenfallen und die »staatlichen Erziehungsmittel,
die Schulen und die Kasernen« für die herrschenden Klassen
wirken, wurde diagnostiziert und zum Angelpunkt der Notwendigkeit einer eigenen Arbeiterbildung – organisiert durch die sozialdemokratische Partei – gemacht (Danneberg 1915, 273). Die
Diskussionslinien im Austromarxismus zum Themenfeld Kultur,
Hegemonie und politische Transformation lassen sich an einer
Auseinandersetzung zwischen Max Adler und Karl Renner, die
beide 1909 im Theorieorgan der österreichischen Sozialdemokratie *Der Kampf* führten, verdeutlichen. Sie zeigen zwei sehr
unterschiedliche Zugänge zu dieser Fragestellung. Karl Renner
hat diese gegensätzliche Positionierung im Titel seines Beitra-
ges, den er *Kulturkampf oder Klassenkampf?* nannte, zum Ausdruck gebracht. Kann die Macht der katholischen Kirche, ihr
Einfluss auf das Denken und Handeln der Massen, ihre, wenn
man so will, kulturelle Hegemonie, durch die Denunziation und
Widerlegung ihrer Dogmen gebremst werden, oder nur durch
die Erschütterung ihrer institutionellen Verankerung und ihrer
sozialen Machtposition? Für Max Adler fand die Herrschaft der

katholischen Kirche ihr Ende in den Bildungsbedürfnissen, den
Emanzipationsbestrebungen, der wachsenden Kritikfähigkeit
der Menschen; in Phänomenen also, für die das Bildungs- und
Kulturprogramm der sozialdemokratischen Arbeiterbewegung
eintrat. Die katholische Kirche müsste also letztlich einem modernen Sozialismus unterliegen, der die Befreiung von der geistigen Knechtschaft bringe, womit die Sozialdemokratie freilich
die bürgerlich-liberale Aufklärung fortsetze und vollende. »So
glanzvoll ihre Erscheinung, so rauschend ihre Feste, so mächtig
bedrückend auch noch ihre Gewissensherrschaft auf nur zu vielen lastet«, prophezeite Adler, »sie wird doch selbst ein immer
unverständlicheres Überbleibsel einer schon überwundenen Gei-
stesstufe der Menschheit« (1909, 390). Der Kampf um kulturelle
Hegemonie wurde also mit den Mitteln der Aufklärung geführt.
Demgegenüber interpretierte Karl Renner die kulturelle Mäch-
tigkeit der Kirche als Ausdruck und als Konsequenz der mit ihr
verbundenen Interessen herrschender sozialer Klassen, vor denen Bildung und Aufklärung alleine kapitulieren müssten und in
der Geschichte bereits kapituliert hätten: »Die Geistesfreiheit ist
die ideologische Blüte auf dem Grunde der ökonomischen Freiheit«, formulierte Karl Renner bilderreich, »ohne sie ist sie eine
Topfpflanze, ein Glashausgewächs, gezüchtet in Büchern und
Aufsätzen, ein Ding, höchst würdig der Beschäftigung von Dichtern, Denkern und Literaten. (...) Einstweilen haben wir draus-
sen den Boden urbar zu machen im ökonomischen und politischen Klassenkampf, ist er urbar, dann werden die Pflänzchen
ausgesetzt und man wird sehen, was gedeiht. Bis dahin aber ist
der einzig mögliche, einzig wirksame Kulturkampf der – Klassenkampf!« (1909, 445). Kultur erschien also gleichermaßen als
Ausdruck von Machtverhältnissen und als Instrument der
Machtausübung. Die spätere Erkenntnis Antonio Gramscis, wonach sich Herrschaft nicht nur im Institutionellen manifestiere,
nicht nur in der materiellen Dimension, sondern eben auch in
geistiger und moralischer Führung beziehungsweise Hegemonie, war gerade den Exponenten des Austromarxismus mit Sicherheit bewusst, auch wenn die politischen Konsequenzen dieser Einsicht variierten. Die (retrospektive) Grundfrage lautet, ob
Kultur als Teil politischer Macht und Machteroberung – wie dies
etwa der Konzeption Max Adlers zu entnehmen ist und durchaus das Selbstverständnis der Arbeiterkulturbewegung und ihrer
Theoretiker spiegelte – politisch-praktisch instrumentalisiert

wurde, oder lediglich als Kompensationsform angesichts realer politischer Machtlosigkeit diente (in diesem Sinne: Rabinbach 1985, 187; Gruber 1991, 39). Bildung und Kultur wären dann nicht Bestandteil und Instrument politischer, gesellschaftlicher und ökonomischer Veränderung, sondern deren Ersatz. Ein weiteres Spannungsfeld zwischen Kultur und Hegemonie bezeichnet Machtbeziehungen zwischen der Arbeiterschaft, sozusagen als der Adressatin von Bildungs- und Kulturbestrebungen, und den Wissensvermittlern. Dass die »kulturelle Grenze« (Wolf Schäfer) zwischen den intellektuellen Führungspersönlichkeiten und der Masse der Arbeitenden durchlässiger werden sollte, kann als deklariertes Ziel der Arbeiterkulturbewegung bezeichnet werden. Diese Problematik wurde etwa am Beispiel einer Kontroverse zwischen Max Adler und Edgar Zilsel über das Materialismusproblem deutlich, die hier nicht inhaltlich vertieft werden soll. Nur soviel: Zilsel (1931) konfrontiert Adler mit dem Vorwurf, den Begriff Materialismus allzu leichtfertig als »seicht« abzuqualifizieren und vor allem in einer Weise zu verwenden, wie er in der breiten Öffentlichkeit, in der Arbeiterbewegung, nicht verstanden werde; bei aller Unzulänglichkeit des Materialismus in theoretischen Feinfragen, wie Zilsel ausführt, habe dieser nämlich als antimetaphysischer, aufklärerischer Ansatz gewissermaßen eine kulturpolitische Funktion; eine Auffassung, die Max Adler mit einem wenig egalitären Vokabular pariert. Zilsel fordere seiner Ansicht nach eine unzulässige »Akkomodation an das Massenunverständnis« (1931, 130) ja als Zugeständnis an eine »zur Denkfaulheit geneigte(n) Menschennatur« (126) seien dessen Vorschläge zu werten.

KULTUR UND NATUR

Innerhalb der populären Arbeiterbildung, die als Bestandteil austromarxistischer Wissenschaftsproduktion betrachtet werden muss, hatten naturwissenschaftliche Bildung und Erkenntnisse den Stellenwert eines Fundaments einer aufgeklärten wissenschaftlichen Weltanschauung. Damit verbunden war nicht selten ein gewisser Naturalismus bzw. eine biologistisch determinierte Sicht von gesellschaftlicher Entwicklung, die mit evolutionistischen Politikkonzepten harmonierten. Andererseits konstituierte der Faktor Kultur in der austromarxistischen Theorie eine Gegennatur, eine Welt des Ethos, der Bildung und der Künste, die auf der Disziplinierung der menschlichen Natur beruhte, in der Kultur als Wissenschaft und Technik zu fortschreitender Naturbeherrschung führte, in der der Grad der menschlichen und gesellschaftlichen Herrschaft über Natur geradezu konstituierend für ein normativ definiertes Kulturniveau erschien. Der Naturbegriff in der austromarxistischen Kulturtheorie reflektiert eine Ambivalenz, die im aufklärerischen Denken selbst angelegt ist und bereits in den Naturkonzepten von *Voltaire* und *Rousseau* paradigmatisch zum Ausdruck gelangt. Die Diagnose der Korrumpierung der menschlichen Natur durch Gesellschaft und Zivilisation konkurrierte mit dem Deutungsmuster der Veredelung von Mensch und Gesellschaft durch die Lösung und Befreiung von den durch die Natur auferlegten Fesseln. In Konzepten sozialistischer Zukunftsgesellschaft und Gegenwelt werden schließlich Ansätze formuliert, die die Natur-Kultur-Dichotomie zu transzendieren, die den Widerspruch aufzuheben scheinen. Das komplexe Verhältnis zwischen Natur, Kultur und Wissenschaft versuchte Otto Bauer schon in einem relativ frühen Aufsatz zu erfassen. Am Beispiel der wissenschaftlichen Werke von Charles Darwin und Karl Marx demonstrierte er, wie der jeweilige gesellschaftliche Hintergrund die Wissenschaftsproduktion beeinflussen musste. Hätte Darwin als Kind des florierenden Industriekapitalismus – als Wissenschaftler in der »Blütezeit des Kapitals« (Eric Hobsbawm) gewissermaßen – die Konkurrenzkämpfe auf dem Arbeitsmarkt und auf dem Warenmarkt in die Natur projiziert, so übertrug Marx die »grandiose Entwicklung der Produktivkräfte« in die Vergangenheit und in die Zukunft der Menschheit. Wäre so einerseits der Mensch in die Natur hineingestellt worden (Darwin), hätte Marx gezeigt, »wie aus dem Daseinskampf der Menschen in der Natur die einzelnen Gestalten des menschlichen Kulturlebens hervorgehen, von der unmittelbaren Art zur Erzeugung unseres Lebensunterhaltes bis zu den zartesten Blüten der Wissenschaft und Kunst, die von allem wirtschaftlichen Interesse losgelöst sind, keinem wirtschaftlichen Interesse dienen und doch immer nur aus jener konkreten Gestalt der Psyche des vergesellschafteten Menschen hervorgehen, die auf einer bestimmten Entwicklungsstufe der Arbeitskräfte und Arbeitsmittel, der Waffen im Daseinskampf der Menschen in der Natur ausgebildet worden ist« (Bauer 1908, 172). Da aber der Kulturprozess aus dem Daseinskampf des Menschen in der Natur hervorgehe, »bleibt doch der Mensch ein Naturobjekt, die

menschliche Kulturentwicklung ein Teil des Naturprozesses«
(1908, 174). Die Übertragung der evolutionistischen Perspektive
aus der Natur in die Gesellschaft – obwohl im gleichen Aufsatz
genau jene Übertragungen und Analogien problematisiert werden – führt bei diesem frühen Beitrag Bauers zu einer Ver-
schränkung von technischem Fortschritt und wirtschaftlicher
Entwicklung mit sozialem und politischem Fortschritt. »Wenn
das Proletariat sich vom Kapitalismus emporgetragen fühlt«,
meinte Bauer, »wenn es in jeder Errungenschaft der neuen Technik, in jeder neuen Fabrik, eine Mehrung seiner Kraft, eine
Bürgschaft seines Sieges sieht, so denkt es, dessen selbst nicht
bewusst, die große Lehre von den Produktivkräften nach, deren
Wandlungen die Umwälzung des ganzen Baues menschlicher
Kultur vorbereiten« (1908, 175).

DIE NATURFREUNDE ALS KULTURBEWEGUNG

Die Verbindung zwischen Naturfreunden und Austromarxismus
ist in mehrfacher Hinsicht zu betonen. Mit dem bereits als Jura-
Studenten engagierten Karl Renner, der schon bei der Grün-
dungsversammlung des Touristenvereines 1895 anwesend war
und noch als Staatskanzler der Ersten und Bundespräsident der
Zweiten Republik das Wirken der Naturfreunde wohlwollend begleitete, war ein wesentlicher Exponent des Austromarxismus
im Verband vertreten. Renner organisierte auch – nach eigener
Darstellung – die parteiinterne Anerkennung des Verbandes. Auf
sein Bitten hin hätte Engelbert Pernerstorfer bei Victor Adler im
Sinne der Naturfreunde vorgesprochen und diesen – der zuerst
»Vereinsmeierei« und Ablenkung von der gewerkschaftlichen
und politischen Arbeit befürchtete – günstig gestimmt (Renner
1946, 285-286). Eine Verbindung lässt sich aber auch auf der
theoretischen Ebene herstellen. Hier waren es die Emphase für
individuelle Persönlichkeitsentwicklung als Voraussetzung und
als Motor gesellschaftlicher Veränderung, die Distanz zum ökonomischen Determinismus und die Betonung des subjektiven
Faktors, die Theorie und Praxis der Naturfreundebewegung mit
dem Austromarxismus verbunden haben. Der in Wien gegrün-
dete »Touristenverein ›Die Naturfreunde‹«, dessen kulturpolitische Bedeutung insbesondere in einem internationalen Netz von
Ortsgruppen – mit Schwerpunkten zunächst in Österreich und
bald auch in Deutschland – lag, organisierte Freizeit für arbei-

tende Menschen. Er schuf insbesondere im Alpinismus ein gei-
stiges wie institutionelles Gegengewicht zu den bislang dort do-
minierenden bürgerlichen Vereinen. Eine Analyse des internen
Schrifttums im Zeitraum von der Jahrhundertwende bis zu den
Jahren 1933/34 lässt die Unterscheidung fünf verschiedener Naturdiskurse zu, die im Folgenden kurz referiert werden sollen
(Sandner 1996; Sandner 1999, 189-222): In einem *kulturell-
ästhetischen Naturdiskurs* erschien Natur als Studienobjekt, die
Naturerkenntnis als Instrument zur Überwindung des traditionellen, mit religiösen Dogmen behafteten Weltbildes; aber auch
als ästhetisches Medium, das die »Veredelung« des Werktätigen
ermöglicht; ein Ethos wurde beschworen, das in die Zukunft
wies und mit dem Sittenverfall, der naturvergessenen Dekadenz
und Vergnügungssucht der bourgeoisen Gesellschaft kontrastierte. Der Tourist, so etwa Angelo Carraro, strebe bei seinen
Wanderungen in die freie Natur, nach Wahrheit, nach Tugend
und nach Schönheit (1911, 17). Die Naturfreundschaft wurde zu
einem wesentlichen Faktor des kulturellen Aufstieges der Arbei-
terklasse erklärt (Lau 1926, 210-213). Ein *sozialorientierter Diskurs* thematisierte die Natur als Freizeitraum, der, weil Naturräume durch Besitzprivilegien nicht allgemein zugänglich
waren, als etwas zu erkämpfendes erscheinen musste. Gesellschaftliche Gleichheit sollte im Recht der Allgemeinheit auf Natur ihren Ausdruck finden. Tradierte Vorrechte auf Naturräume
erschienen als »Enterbung« des Proletariats von der Natur
(Ferch 1922, 3), die private Naturaneignung sollte durch eine soziale abgelöst werden. Als Fluchtort aus einer Welt der sozialen
und politischen Ungleichheit, einer als repressiv empfundenen
Realität konstituierte sich der Naturbegriff in einem *evasionisti-
schen Diskurs*; wenn etwa von der »Flucht aus der Kultur in die
Natur! (Thiele 1929, 224) fabuliert wurde; in einen *emanzipatorischen Naturdiskurs* griff dies freilich über, wenn das Naturerleb-
nis als Kraftreservoir für soziale und politische Kämpfe instrumentalisiert wird (Maurüber 1928, 233). Das mit der Natur verbundene Erlebnis erscheint als Antizipation eines gesellschaftlichen Morgens, als Morgenröte der Zukunftsgesellschaft, als Vor-
bote einer besseren Zeit. Die Faszination für die Umgestaltung
von Naturräumen, durch Wasserkraftwerke etwa oder Verkehrs-
wege, reflektierte einen *technizistischen Naturdiskurs*, in dem die
Beherrschung der Natur, der ungebändigten Wildnis, als große
Kulturtat fungierte. Karl Renner gab sich anlässlich der Eröff-

nung des Naturfreundehauses auf dem Padasterjoch überzeugt, dass »das Bewußtsein, daß wir Herren der Erde geworden sind« vor allem den Touristen, der immerhin ein großes Stück dieser Erde überblicken könne, erfüllen müsse (Der Naturfreund 1907, Nr. 9, 174). Und schließlich: ein *ökologischer Diskurs*, der sich diesem instrumentellen Zugang verschloss, ja diesen explizit kritisierte und in Frage stellte, der Eigenrechte der Natur postulierte und immer wieder deren Zerstörung anprangerte. Ginge es doch darum, die verlorengegangene Einheit mit der Natur wiederzuerlangen, mit jener Natur, die sich der Mensch zwar dienstbar mache, die er aber niemals völlig unterwerfen könne, zumal er ja selbst Teil der Natur sei. Sprache wurde dieser Haltung unter anderem vom bekannten Alpinisten (und Gymnasiallehrer) Eugen Guido Lammer verliehen, der im Medium der sozialdemokratischen Naturfreunde die »zweckfreie Natur« postulierte (1928, 55) – nicht zuletzt als Refugium der Erholung und Erbauung für die vom Industriekapitalismus geschädigten Arbeiter. Dass Lammer mit seiner grundlegenden Skepsis gegen die Erschließung der Alpennatur zu einer zentralen Zielsetzung der Naturfreunde in Widerspruch geraten musste – nämlich zur Gestaltung von Naturräumen im Interesse des entstehenden »sozialen« Tourismus –, sei der Vollständigkeit halber erwähnt. Diese hier notwendigerweise stark komprimierten Naturdiskurse fanden ihre Entsprechung in der sozialen und politischen Praxis des Verbandes. Der Schutz der Natur und die Faszination für ihre Eroberung existieren hier als gewissermaßen widersprüchliche, doch aufeinander bezogene Komponenten. Die Aktivitäten waren zunächst, so ein wesentliches Gründungsmotiv, auf die Erschließung der Alpennatur ausgerichtet. Über Wege und Schutzhütten, über Vermittlung von alpinistischem *know-how* konnte der elitäre Charakter des Tourismus durchbrochen werden. Damit war der Verein ein wesentlicher Faktor der Gestaltung von Naturräumen nach menschlichen Bedürfnissen; somit ohne Zweifel ein Wegbereiter des modernen Massentourismus. Gleichzeitig wurden die sozialen und ökologischen Konsequenzen registriert. Zahlreiche Aufrufe, Gesichtspunkte des Naturschutzes zu berücksichtigen, die Kritik an naturzerstörerischen Großprojekten, der Schutz der Natur als Erholungsraum; dies waren wesentliche Momente der Aktivitäten der Naturfreunde. Die scheinbar widersprüchlichen diskursiven Praktiken sollten nicht als Konglomerat isolierter, unzusammenhängender

Phänomene gesehen werden, sondern als partielle Problem-
wahrnehmung; als Reflexion und Problematisierung eigenen
Handelns, als Indiz dafür, dass der instrumentelle Naturdiskurs
einen oppositionellen Gegendiskurs gleichsam herausforderte.
Kultur erschien also als Gegennatur, als Instrument der Herrschaft und der Disziplinierung über die innere und äußere Natur, über die natürliche Umwelt und über die Natur des Menschen. Natur konnte aber auch Bestandteil von Gegenkultur
sein, die Flucht aus der herrschenden Kultur Element partieller
Antizipation sozialistischer Zukunft, die natürliche Lebensführung ein emanzipatorischer Impuls der Auflehnung gegen
aufgezwungene, repressive gesellschaftliche Verhältnisse und
Strukturen. In dieser Zukunftshoffnung konnte der Widerspruch
von Natur und Kultur aufgehoben werden. Die Beendigung
einer klassenspezifischen Aneignung von Natur bedeutete dem-
zufolge auch die Überwindung des Gegensatzes von Kultur und
Natur, also von fremdbestimmten Lebensverhältnissen, die der
menschlichen Natur zuwiderliefen, und von Umweltzerstörung,
der in einer egalitären Gesellschaft der auf Besitzinteressen ba-
sierende, naturzerstörerische Stachel gezogen würde.

THEORETISCHE PROBLEMSTELLUNGEN

Die Kulturtheorie des Austromarxismus wird weiterführend in
folgenden Spannungsfeldern verortet, die als Ausgangshypothe-
sen für künftige Forschung fungieren können: Diskurse des Austromarxismus rekurrieren häufig auf einen hierarchisch struktu-
rierten, an der klassischen deutschen Kultur orientierten Kulturbegriff. Gleichzeitig ging es jedoch darum, Kultur und Kulturaneignung zu demokratisieren. Daraus musste eine Spannung zwischen einem *elitären Kulturbegriff* und einem *egalitären Kul-
turanspruch* resultieren. Dem entspricht auf der Ebene der Vermittlung die Diskrepanz zwischen den kulturpolitischen Postulaten der intellektuellen Führungspersönlichkeiten der Sozialdemokratie und dem Organisationsalltag der Arbeiterkulturbewegung. Exemplarisch zeigt sich dies an der Popularkulturdebatte.
Dies führte zu einer Spannung zwischen *politischer Theorie* und
sozialer und kultureller Praxis. Den Ausgangspunkt austromarxistischer Kulturtheorie bildet die Diagnose der sozialbedingten
Exklusion der Arbeiterschaft von der herrschenden Kultur. Deren Aneignung unter der Ägide der sozialdemokratischen Kul-

turbewegung erschien als Vorbedingung zur Erlangung politischer Macht wie als partielle Vorwegnahme sozialistischer Gesellschaft gleichermaßen. Ein auf spezifisch gegenkulturellen Ausdrucksformen basierender Kulturbegriff blieb dagegen in Opposition. Die Spannung besteht zwischen *Aneignung und Neuformulierung von Kultur*. Funktional betrachtet sollte Kultur der Vorbereitung und langfristigen Durchsetzung politischer Macht dienen. Oftmals schienen kulturelle Aktivitäten die politische Praxis zu überlagern. Die Spannung besteht zwischen *Kultur als Macht* und *Kultur als Machtersatz*. Die Natur-Kultur-Dichotomie bildet eine Bruchlinie in der austromarxistischen Kulturtheorie. Tendenzen der Verfestigung wie der Auflösung jener Dichotomie konstituieren eine Widersprüchlichkeit, die bereits charakterisiert wurde. Das theoretische Problem besteht also in der Spannung von *Kultur und Natur*.

RESÜMEE

Der Beitrag analysierte – gewissermaßen als *work in progress* – Kulturdiskurse des Austromarxismus und diskutierte ihre Transformation im politischen Feld. Das theoretische Denken in Gegensätzen, die Entwicklung eines komplexen, auf gesellschaftlichen Hegemoniekonflikten basierenden Kulturbegriffs und seine Politisierung in gesellschaftlichen Diskursen konstituieren eine austromarxistische Formation der Kulturstudien, die hier erst umrissen werden konnte. Im Sinne des Wissenschaftshistorikers Andreas Daum (1998, 20) kann es nicht um eine Wissenschaftsgeschichte »von oben«, sondern um eine interdisziplinär angelegte Geschichte der Wissenschaften im Kontext der Gesellschaft gehen. Wissenschaftsgeschichte und das Nachzeichnen wissenschaftlicher Traditionen können legitimatorisch oder emanzipatorisch betrieben werden. Sie können mit dem Verweis auf große Namen und prominente (Denk-) Schulen um gesellschaftliche Anerkennung ringen. Sie können aber auch gesellschaftliche Veränderbarkeit sichtbar und durch das Aufdecken verdeckter Traditionen kritisches Potenzial für die Gegenwart nutzbar machen.

Otto Neurath

FOTO: SAMMLUNG DES ÖSTERREICHISCHEN GESELLSCHAFTS-
UND WIRTSCHAFTSMUSEUMS

LITERATUR

Adler, Max (1909). Kirche und Schule, in: Der Kampf, 2 (9), 389-396.

Adler, Max (1931a.). Wozu schreibt man Bücher? Melancholische Betrachtungen zu einer Buchbesprechung, in: Der Kampf, 25(3), 125-131.

Adler, Max (1931b.). Endlosigkeit oder Beendigung der kapitalistischen Widersprüche, in: Der Kampf, 25 (7/8), 304-313.

Bach, David Friedrich (1913). Der Arbeiter und die Kunst, in: Der Kampf, 7 (1), 41-46.

Bauer, Otto (1908). Marx und Darwin, in: Der Kampf, 2 (4), 169-175.

Bauer, Otto (1975, orig.: 1907). Deutschtum und Sozialdemokratie, in: Otto Bauer Werkausgabe, Band 1, Wien, 23-48.

Bollenbeck, Georg (1994). Bildung und Kultur. Glanz und Elend eines deutschen Deutungsmusters. Frankfurt am Main.

Böhme, Hartmut/Peter Matussek/Lothar Müller (2000). Orientierung Kulturwissenschaft. Was sie kann, was sie will. Reinbek bei Hamburg.

Bromley, Roger (1999). Cultural Studies gestern und heute, in: Bromley, Roger/Udo Göttlich/Carsten Winter (Hg.). Cultural Studies. Grundlagentexte zur Einführung. Lüneburg, 9-24.

Butterwegge, Christoph (1991). Austromarxismus und Staat. Politiktheorie und Praxis der österreichischen Sozialdemokratie zwischen den beiden Weltkriegen. Marburg.

Carraro, Angelo (1911). Tourist und Naturkunde, in: Der Naturfreund 15 (1), 16-17.

Danneberg, Robert (1915). Die Ergebnisse sozialdemokratischer Bildungsarbeit, in: Der Kampf, 8 (7/8), 272-289.

Daum, Andreas W. (1998). Wissenschaftspopularisierung im 19. Jahrhundert. Bürgerliche Kultur, naturwissenschaftliche Bildung und die deutsche Öffentlichkeit, 1848-1914. München.

Deutsch, Julius (1917). Die Lebensverhältnisse Wiener Arbeiter, in: Der Kampf, 10 (3), 79-84.

Fischer, Walter (1930). Jugend und Autorität, in: Der Kampf, 23 (11), 449-454.

Ferch, Johann (1922). Die Enterbung von der Natur, in: Der Naturfreund 26 (1/2), 2-3.

Glaser, Ernst (1981). Im Umfeld des Austromarxismus. Ein Beitrag zur Geistesgeschichte des österreichischen Sozialismus. Wien, München, Zürich.

Grossberg, Lawrence (1994).Cultural Studies: Was besagt ein Name?, in: IKUS-Lectures 17+18/1994, 11-40.

Grossmann, Stephan (1908). Die Feste der Arbeiter, in: Der Kampf, 1 (4), 182-184.

Gruber, Helmut (1991). Red Vienna. Experiment in Working-Class Culture 1919-1934. New York, Oxford.

Jahoda, Marie/Paul.F. Lazarsfeld/Hans Zeisel (1975, orig.: 1933). Die Arbeitslosen von Marienthal. Ein soziographischer Versuch. Frankfurt am Main.

Kulemann, Peter (1979). Am Beispiel des Austromarxismus. Sozialdemokratische Arbeiterbewegung in Österreich von Hainfeld bis zur Dollfuß-Diktatur. Hamburg.

Langewiesche, Dieter (1979). Arbeiterkultur in Österreich, in: Ritter Gerhard A. (Hg.). Arbeiterkultur. Königstein/Ts., 40-57.

Lammer, Eugen Guido (1928). Naturfreunde und Naturschutz, in: Der Naturfreund 32 (3/4), 55-62.

Lau, Adolf (1926). Naturfreundschaft als Faktor des kulturellen Aufstiegs, in: Der Naturfreund 30 (11/12), 210-213.

Lutter, Christina/Markus Reisenleitner (1999). Cultural Studies. Eine Einführung. 2., durchgesehene Auflage, Wien.

Pfabigan, Alfred (1986). Die austromarxistische Denkweise, in: Löw, Raimund/Siegfried Mattl/Alfred Pfabigan (Hg.) (1986). Der Austromarxismus. Eine Autopsie. Drei Studien. Frankfurt am Main, 102-113.

Maurüber, Albert (1928). Die Touristik und der Klassenkampf, in: Der Naturfreund 32 (9/10), 231-234.

Nemeth, Elisabeth (1981). Otto Neurath und der Wiener Kreis. Revolutionäre Wissenschaftlichkeit als Anspruch. Frankfurt am Main, New York.

Neurath, Otto (1928). Proletarische Lebensgestaltung, in: Der Kampf, 21 (7), 318-321.

Pernerstorfer, Engelbert (1907). Die Kunst und die Arbeiter, in: Der Kampf, 1 (1), 38-41.

Rabinbach, Anson (1985). Red Vienna. Symbol and Strategy, in: Rabinbach, Anson (Hg.). The Austrian Socialist Experiment. Social Democracy and Austromarxism, 1918-1934, Boulder and London, 187-194.

Rabinbach, Anson (1989). Vom Roten Wien zum Bürgerkrieg. Wien.

Renner (1909). Kulturkampf oder Klassenkampf? In: Der Kampf, 2 (10), 438-445.

Renner, Karl (1928). Ist der Marxismus Ideologie oder Wissenschaft? In: Der Kampf, 21 (6), 245-

Renner, Karl (1946). An der Wende zweier Zeiten. Wien.

Sandner, Günther (1996). Naturaneignung und Kulturmission. Diskurse über Natur und Lebensreform im sozialdemokratischen Lager Österreichs und Deutschlands (1895-1933/34), in: Österreichische Zeitschrift für Politikwissenschaft, 25 (2), 207-221.

Sandner, Günther (1999). Die Natur und ihr Gegenteil. Politische Diskurse der sozialdemokratischen Kulturbewegung 1933/34. Frankfurt am Main u. a.

Schäfer, Wolf (1979). Proletarisches Wissen und Kritische Wissenschaft (I), in: Böhme, Gernot/Michael von Engelhardt (Hg.). Entfremdete Wissenschaft. Frankfurt am Main, 177-220.

Stern, Josef Luitpold (1910). Schundliteratur, in: Der Kampf, 4 (10), 471-474.

Thiele, Adolf (1929). Naturschutz vom Standpunkt der Sozialhygiene, in: Der Naturfreund 10 (3), 222-225.

Turner, Graeme (1996). British Cultural Studies. An Introduction. Second Edition. London.

Weidenholzer, Josef (1981). Auf dem Weg zum »Neuen Menschen". Bildungs- und Kulturarbeit der österreichischen Sozialdemokratie in der Ersten Republik. Wien, München, Zürich.

Williams, Raymond (1989). The Future of Cultural Studies. in: The Politics of Modernism. Against the New Conformists. London, 151-162.

Wright, Handel K. (1998). Dare we de-centre Birmingham? Troubling the ›origin‹ and trajectories of cultural studies, in: Cultural Studies, Vol 1 (1), 33-56.

Zilsel, Edgar (1930). Soziologische Bemerkungen zur Philosophie der Gegenwart, in: Der Kampf, 24 (10), 410-424.

Zilsel, Edgar (1931). Materialismus und marxistische Geschichtsauffassung, in: Der Kampf, 25(2), 68-75.

Zilsel, Edgar (1990 orig. 1918). Die Geniereligion. Ein kritischer Versuch über das moderne Persönlichkeitsideal mit einer historischen Begründung. Frankfurt am Main.

AUTORINNEN

JOHN BORNEMAN, Professor für Anthropologie, Cornell University

CHRISTOPH BRECHT, Assistenzprofessor für Deutsche Sprache und Literatur, Universität Frankfurt am Main

OKSANA BULGAKOWA, Visiting Professor, Department of Slavic Languages and Literatures, Stanford University

DAVID FRISBY, Professor für Soziologie, University of Glasgow

ROLF LINDNER, Professor für Europäische Ethnologie, Humboldt Universität zu Berlin

CHRISTINA LUTTER, Bundesministerium für Bildung, Wissenschaft und Kultur in Wien. Koordinatorin des Forschungsschwerpunkts »Kulturwissenschaften/Cultural Studies«

LUTZ MUSNER, Wissenschaftssekretär des Internationalen Forschungszentrums Kulturwissenschaften (Wien)

URSULA RENNER, Professorin für deutsche Literaturwissenschaft, Universität Freiburg

GÜNTHER SANDNER, Lehrbeauftragter für Politikwissenschaft, Universität Salzburg

KARIN WILHELM, Professorin für Kunstgeschichte, Technische Universität Graz

GOTTHART WUNBERG, Professor Emeritus Universität Tübingen, Direktor des Internationalen Forschungszentrums Kulturwissenschaften (Wien)